해피꿈북클럽과 함께하는
100일간의 두드림(DO DREAM)

책쓰기로 비상하라

해피꿈북클럽과 함께하는 100일간의 두드림(DO DREAM)

책쓰기로 비상하라

발 행 | 2024년 5월 14일
저 자 | 박성옥, 김일, 김가형, 김미숙, 배선숙, 유명순, 이미옥, 이용규,
    임선경, 정현아, 조민섭, 주인숙, 최선경
펴낸이 | 한건희
편집자 | 박성옥
디자인 | 박성옥
펴낸곳 | 주식회사 부크크
출판사등록 | 2014.07.15.(제2014-16호)
주 소 | 서울특별시 금천구 가산디지털1로 119 SK트윈타워 A동 305호
전 화 | 1670-8316
이메일 | info@bookk.co.kr

ISBN | 979-11-410-8505-6

www.bookk.co.kr

해피꿈북클럽과 함께하는
100일간의 두드림(DO DREAM)

책쓰기로 비상하라

박성옥 / 김　일
김가형 / 김미숙
배선숙 / 유명순
이미옥 / 이용규
임선경 / 정현아
조민섭 / 주인숙
최선경 공저

프롤로그

매일 글을 쓰는 사람이 작가다

매일 글을 쓰는 사람이 작가라고 한다. 책을 쓴다는 생각보다 매일 한 줄 글을 쓴다는 생각으로 꾸준히 글을 쓰면 된다. 시간이 지나고 짧은 글이 쌓이면 그것이 책이 되는 것이다.

많은 사람이 책을 쓴다는 것에 부담을 갖는다. 그래서 "나는 책을 출간하지 못해요."라고 말한다. 이 책은 "나는 글을 쓰지 못해요!" "내가 어떻게 글을 써요?"라고 말했던 사람들이 매일 꾸준히 한 줄의 글을 쓴 것이 모여져서 책이 되었다. 누구나 글을 쓸 수 있다. 글이 모이면 책이 되고 작가가 된다.

해피꿈북클럽과 함께하는 책쓰기 프로젝트가 벌써 다섯 번째 시리즈를 마무리한다. 프로젝트 시작이 엊그제 같은데 벌써 3년이라는 세월이 흘렀다. 그동안 4권의 책이 출간되었다. 첫 책은 『해피꿈북클럽과 함께하는 100일간의 두드림 날개를 펼치다』, 두 번째 책은 『해피꿈북클럽과 함께하는 100일간의 두드림 배움이 이끄는 삶』, 세 번째 책은 『해피꿈북클럽과 함께하는 100일간의 두드림 독서법으로 삶을 리드하라』, 네 번째 책은 『해피꿈북클럽과 함께하는 100일간의 두드림 강사의 시대, 강의로 아웃풋하라』이다.

이번에 다섯 번째 책은 『해피꿈북클럽과 함께하는 100일간의 두드림 책쓰기로 비상하라』이다. 첫 번째 책은 꿈꾸는 자들의 꿈 이야기이고, 두 번째 책은 배움에 대한 내용이다. 세 번째 책은 어떤 독서법으로 책을 읽고 있는지에 대해서 소개하고, 네 번째 책은 어떻게 강의로 아웃풋을 할 수 있을지 설명하고 있다. 다섯 번째 책인 『책쓰기로 비상하라』는 "꿈을 꾸고, 배우고, 독서하고, 강의한 것들을 어떻게 글로 표현해 낼까?"라는 물음에서 시작했다.

이 책은 제1장 책쓰기로 퍼스널브랜딩하라. 책쓰기는 퍼스널브랜딩의 가장 좋은 도구라고 설명하고 있다. 제2장 내가 글을 쓰는 이유. 글쓰기는 생각을 정리하고 성장하는 여정이다. 제3장 나의 책쓰기 도전기. 책쓰기의 시작은 독서모임이다. 제4장 하루 15분 글쓰기 습관이 작가로 연결된다. 기억을 넘어 기록의 소중함을 이야기한다. 제5장 나는 평생 글쓰기를 하는 사람이고 싶다. 제6장 나를 만나는 시간, 책쓰기. 마음치유의 책쓰기, 나를 만나는 시간이다. 제7장 희망의 날개를 펼치며. 지금은 아웃풋시대다. 자신의 능력을 개발하는 글쓰기를 하라. 제8장 초보 강사의 데뷔 이야기. 글쓰기에 도움이 되는 도구를 활용하라. 제9장 아들을 변화시키는 엄마의 책쓰기 공부. 책쓰기로 변화되는 삶의 이야기가 있다. 제10장 책쓰기로 작가 되기. 나만의 스타일로 글을 써라. 제11장 가슴 뛰는 남자, 작가 되다. 직장인이 책을 써야 하는 이유는 무엇인가? 제12장 짬짬이 글쓰기. 틈새 시간을 활용해 매일 3줄 글쓰기를 하면 된다. 제13장. 아픈 만큼 성장하는 책쓰기. '출산'의 고통과 맞먹는 '출간'의 고통, 안 아픈 출간 과정은 없다 등 13장으로 구성되어 있다.

이 책은 책쓰기를 시작하는 모든 사람에게 도전과 용기를 주는 책이다. 책을 쓰는 것이 아니라 매일 한 줄의 글을 쓰면 된다. 그냥 편안하게 자신의 글을 쓰다 보면 작가가 된다. 작가를 꿈꾸는 당신을 응원한다.

해피꿈연구소 대표, 해피꿈북클럽 리더 박성옥교수

목 차

작가가 되고 싶다면,

무엇보다 두 가지 일을

반드시 해야 한다.

많이 읽고

많이 쓰는

것이다.

이 두 가지를

슬쩍 피해갈 수 있는

방법은 없다.

지름길도 없다.

- 스티븐 킹 -

책쓰기로 퍼스널브랜딩하라

아웃풋전문가 박성옥

1인기업메신저로서 해피꿈북클럽 '전략독서 & 강의 & 책쓰기' 삼박자 프로그램을 운영하고 있다. 프로그램을 통해 전략독서 방법 및 독서 습관을 기를 수 있도록 잡아주고, 강의 스킬을 가르치며, 책쓰기로 작가를 배출하고 있다. 두드림 책쓰기 프로그램도 운영하면서 자전적에세이나 전문서적을 쓸 수 있는 전문 작가로 성장할 수 있도록 코칭하며 돕고 있다.

저서로는『해피꿈북클럽과 함께하는 100일간의 두드림(DO DREAM)날개를 펼치다』,『배움이 이끄는 삶』,『독서법으로 삶을 리드하라』,『강사의 시대, 강의로 아웃풋하라』,『두드림 전략독서법』,『꿈쟁이의 일상』,『강사의 시대, 초보강사를 위한 강의 비법』,『전자책 출판 가이드』,『성공을 위한 배움의 6가지 실천전략』,『하루만에 책쓰기 비법』,『치매예방을 위한 브레인 인지놀이』,『100세시대, 건강과 행복을 위한 시니어레크리에이션』,『돈으로 배우는 인문학』,『성인 진로가이드』,『웃음치료 실전 가이드』,『사상체질, 아! 이런 거였어?』,『100세시대 웰빙의 완성 웰다잉』,『책쓰기로 아웃풋하라』,『사진에 글을 담다』 등이 있다.

블로그: https://blog.naver.com/minguyoung1
e-mail: minguyoung1@naver.com

책쓰기에 도전하라

"작가가 되고 싶다면 작가들이 하는 일을 하라. 무슨 일이
있어도 매일 글을 써라."

- 주디 리브르 -

1. 책을 쓰기로 결심하는 과정과 중요성

책을 쓰기로 결심하는 것은 단순한 순간의 선택이 아니
라, 깊은 사색과 자기성찰의 결과로 볼 수 있다. 이 과정은
자신의 경험, 지식, 그리고 메시지를 세상과 공유하고자 하
는 강렬한 동기에서 비롯된다. 개인적인 이야기든 전문적인
지식이든, 책을 통해 자신의 생각을 형상화하고자 하는 의지
는 매우 중요하다.

책을 쓰기로 결심하는 과정의 중요성은 여러 면에서 드러난다. 이는 개인의 창작 욕구를 충족시키고 자신만의 독특한 목소리를 찾는 과정이다. 또한, 책은 자기 생각과 경험을 체계화하고 정리하는 데 도움을 준다. 이러한 과정을 통해 작가는 자신의 아이디어를 더 명확하게 이해하고, 독자들과의 소통에도 더 효과적으로 될 수 있다.

더 나아가, 책을 쓰는 것은 사회적, 전문적 영향력을 확장하는 방법이기도 하다. 지식과 경험을 공유함으로써 독자들에게 영감을 주고, 때로는 중요한 사회적 대화에 이바지할 수 있다. 또한, 전문 분야에서의 신뢰를 쌓고 개인 브랜드를 강화하는 데도 중요한 역할을 한다.

결국, 책을 쓰기로 결심하는 것은 개인적인 성장뿐만 아니라, 독자들과의 교감과 사회적 영향력 확대라는 보다 큰 목적을 갖는 과정이다. 이러한 결심은 강한 의지와 헌신이 필요하며, 작가 자신뿐만 아니라, 작품을 접하는 모든 이들에게 깊은 영향을 미친다.

2. 책쓰기를 위한 아이디어 및 계획 수립

책 집필을 위한 아이디어 발전 및 계획 수립은 창작의 기초를 다지는 필수적 과정이라 할 수 있다. 작가는 자신의 관심 분야, 전문적 지식 혹은 삶의 경험에서 우러나오는 주제를 신중히 선정하게 되는데, 이때 주제의 독창성과 독자들의 흥미를 유발할 수 있는 요소가 중요한 고려 대상이 된다. 선별된 주제에 대해 다양한 아이디어를 자유롭게 떠올리는 브레인스토밍 과정을 거치게 되며, 이 단계에서는 제한 없는 창의적 사고가 요구된다.

아이디어가 축적되면, 작가는 주제에 관한 심도 있는 연구 및 조사에 착수하게 된다. 이는 내용의 풍부함을 더하고, 작품에 신뢰성을 부여하는 데에 기여한다. 연구와 조사를 통해 얻은 지식을 바탕으로 작품의 구조를 설정하는 단계로 나아가게 되며, 이때 책의 전반적인 구성, 각 장의 주요 내용, 중요 사건이나 대화 등을 고려하게 된다.

구조가 확립되면, 초안 작성에 들어간다. 이 과정에서는 완벽한 작품을 목표로 하기보다는 생각과 아이디어를 자유롭게 표현하는 데 중점을 둔다. 초안이 완성되면, 신뢰할 수 있는 독자나 편집자로부터 받은 피드백을 바탕으로 작품을 수정하고 개선하는 작업을 거친다. 여러 차례의 검토와 수정을 거친 후, 최종본을 완성하며, 이때 맞춤법, 문법, 문체 등을 꼼꼼히 다듬는 것이 필요하다.

최종본이 완성되면, 출판과 홍보를 위한 준비에 착수한다. 이 단계에서는 출판사와의 협력, 책의 인쇄 및 배포, 그리고 독자들에게 작품을 알리기 위한 다양한 홍보 활동이 수반된다. 이러한 과정을 거쳐 작가는 자신의 생각과 이야기를 세상에 전하게 된다.

3. 자기 관리와 동기부여 방법

책쓰기에 도전하려면 자기 관리와 동기부여는 필수적인 요소이다. 일차적으로, 작가는 꾸준한 책쓰기 습관을 형성하고 유지하는 것이 매우 중요하다. 이를 위해 일정한 시간을 정해 두고 매일 일정량의 글쓰기를 하는 것이 바람직하다. 또한, 글쓰기를 위한 환경을 조성하는 것도 필요하다. 조용하고 집중하기 좋은 작업 공간을 마련하여, 글쓰기에 전념할 수 있는 환경을 조성하는 것이다.

　동기부여를 위해서는 작가 스스로가 자신의 작업에 대한 목표와 의미를 명확히 인식하는 것이 필요하다. 이를 통해 장기적인 프로젝트에 대한 헌신을 유지할 수 있다. 목표를 세분화하여 단계별로 성취감을 느낄 수 있게 하는 것도 도움이 된다. 예를 들어, 책 한 권을 완성하기 위해 매일 몇 페이지씩 쓰는 등의 소규모 목표를 설정하여, 이를 달성함으로써 동기부여를 강화할 수 있다.

　더불어, 글쓰기 외의 활동도 중요하다. 정기적인 운동, 취미 생활, 사회적 교류 등을 통해 정신적, 육체적 건강을 유지함으로써 글쓰기에 필요한 에너지를 확보해야 한다. 이러한 활동들은 창작 과정에서 발생할 수 있는 스트레스를 완화하고, 새로운 아이디어를 얻는 데에도 도움이 된다.

　자기 관리와 동기부여는 책을 쓰는 과정에서 매우 중요한 역할을 한다. 작가가 일상에서 균형을 잡고, 자신의 작업에 대한 열정을 유지함으로써 성공적인 작품을 완성할 수 있다.

작가가 되기 위한 7가지 글쓰기 법칙

"무조건 써라. 기를 꺾는 내면이나 외부의 그 어떤 말도 무시하라. 끈질기면 항상 얻는 게 있다."

- 로버타 진 브라이언트 -

1. 작가가 되기 위한 7가지 책쓰기 법칙

누구나 글을 쓸 수 있고, 누구나 작가가 될 수 있다. 만약 작가를 원한다면 글을 써야 한다. 글쓰기는 누구에게나 무한한 가치가 있기에 끝까지 포기하지 않는 끈기와 용기가 필요하다. 그렇기에 글쓰기는 강력한 행위라고 할 수 있다. 글을 쓰려면 로버타 진 브라이언트의 7가지 글쓰기 법칙에 관한 내용을 알면 도움이 될 것이다. 브라이언트는 글쓰기의 본질과 그 과정에서 필요한 요소들을 강조함으로써, 모든 이가 글을 쓸 수 있으며, 작가가 될 수 있다는 가능성을 일깨운다. 로버타 진 브라이언트의 7가지 글쓰기 법칙은 다음과 같다.

첫째, 행동으로서의 글쓰기
글쓰기는 단순한 생각이나 머릿속 고민의 산물이 아니다. 실제로 종이 위에 낱말을 늘어놓는 행동이 글쓰기의 핵심이다.

둘째, 열정을 가지고 쓰기
글쓰기는 열정을 담아서 해야 한다. 열정은 창조성을 낳으며, 차분한 성격의 사람도 자신이 좋아하는 일에는 열정을 보일 수 있다.

셋째, 정직한 글쓰기
자신의 진정성을 글에 담아야 한다. 때로는 이것이 독창성을 낳는 진통의 원천이 될 수 있다.

넷째, 재미를 추구하며 쓰기
글쓰기는 자신을 위한 것이어야 하며, 작가 자신이 글쓰기 과정을 즐기지 못한다면, 독자 역시 그 결과물을 즐길 수 없다.

다섯째, 끊임없이 쓰기

내면의 비판이나 외부의 의견에 구애받지 말고, 끊임없이 글을 써야 한다. 끈기는 항상 결과를 가져온다.

여섯째, 다작하기

글쓰기는 모든 경험을 활용하는 과정이다. 시간이 지남에 따라, 글과의 씨름 속에서 버릴 것이 없다는 것을 깨닫게 된다.

일곱째, 몰입하기

자신의 아이디어와 작가로서의 삶에 깊이 몰입해야 한다. 자신을 믿는 것이 중요하다.

이러한 로버타 진 브라이언트의 글쓰기 법칙들은 책쓰기 강사로서의 경험과 지식을 바탕으로 한 조언과 맞닿아 있다. 필자 또한 책쓰기 강사로서 이러한 방법을 코칭하고 있다. 강사는 이러한 법칙들을 실제 강의와 연습을 통해 참여자들에게 전달하며, 그들이 자신만의 글쓰기 방식을 발전시키도록 돕는다. 이 과정에서 강사와 참여자 모두 글쓰기의 무한한 가치와 가능성을 실감하게 된다.

2. 책쓰기 강사로서의 여섯 가지 실천전략

책쓰기 강사를 꿈꿔라, 생생하게 꿈꾸면 반드시 이루어진다. 책쓰기를 시작하는 사람들은 글쓰기가 어려울 수 있다. 하지만 자신의 책을 출판하고, 작가가 되고, 자신만의 강의 콘텐츠를 만들어 준비하면 충분히 작가를 양성하는 강사의 길을 갈 수 있을 것이다. 요즘은 책쓰기 강사교육 과정을 통해 책쓰기 강사 자격증을 발급해 주는 곳도 있다. 만약 책쓰기 강사를 원한다면 꿈을 꿔라. 꿈은 반드시 이루어질 것이다.

필자 또한 처음부터 책쓰기 강사가 되겠다고 생각하고 책을 쓰고 강의를 한 것은 아니다. 해피꿈북클럽 프로그램을 진행하면서 자연스럽게 책쓰기를 진행하게 되었고, 작가를 양성하게 되었다. 그러면서 책쓰기 강사의 길을 가게 된 것이다. 책쓰기 강사로서의 경험을 통해 강사로서 실천해야할 전략에 대한 필요성을 느끼게 되었다. 책쓰기 강사로서의 여섯가지 실천전략은 다음과 같다.

첫째, 전문성을 갖춰야 한다.
책쓰기 분야에서 경험과 지식을 쌓아 전문성을 갖추는 것이 중요하다. 책을 쓰는 것뿐만 아니라 출판과 관련된 전반적인 지식과 경험을 쌓는 것도 필요하다.

둘째, 책쓰기 연습과 경험을 하라.
책쓰기 강사로서의 역량을 키우기 위해서는 많은 책을 쓰는 연습과 경험을 해야한다. 가능하면 다양한 주제와 장르의 책을 써보는 것이 좋다.

셋째, 강의 경험을 쌓아라.
강의 능력을 키우기 위해서는 다양한 대상으로 강의를 진행하여 경험을 쌓는 것이 중요하다. 효과적인 커뮤니케이션 능력과 참여자의 관심을 끌고 참여를 유도할 수 있는 능력이 필요하다.

넷째, 나만의 강의 방식을 개발하라.
강의를 진행하면서 나만의 책쓰기 경험을 바탕으로 강의 내용을 개발하는 것이 좋다. 또한, 강의를 진행하면서 참여자의 반응을 체크하며 강의 방식을 개선하는 것도 중요하다.

다섯째, 끊임없이 자기계발에 힘써라.
책쓰기 분야에서는 계속해서 발전하는 것이 중요하다. 다른 작가들의 글을 읽고, 세미나나 워크숍에 참여하여 다양한 경험과 지식을 습득하고, 이를 강의에 반영해 나가는 것이 중요하다. 강사로서 활동 범위를 넓히고 싶다면 자신을 계속 발전시켜 나가야 된다.

여섯째, 커뮤니티와 연결하기.
작가 커뮤니티나 작가 그룹에 참여하여 다른 작가들과 연결하는 것이 중요하다. 작가들과 정보를 공유하고, 서로의 작업물을 공유하며 서로를 지원하는 것이 도움이 된다.

책쓰기 강사로서의 실천전략 여섯 가지를 소개하였다. 이러한 실천전략을 실행하면서 많은 경험과 노하우를 쌓아 나가면, 자신만의 강의 방식과 스타일을 찾아갈 수 있을 것이며, 많은 사람에게 글쓰기의 매력과 중요성을 전달할 수 있을 것이다. 강사의 꿈을 꾸는 사람들에게 강사의 꿈에 도전할 수 있도록 희망과 용기가 되길 기대한다.

3. 책쓰기로 아웃풋하라

"작가로서의 변화와 성장"은 모든 작가에게 필수적인 여정이다. 필자는 독서, 강의, 책쓰기 코칭을 통해 경험과 지식을 나누고, 작가로서의 꿈과 비전을 실현하기 위해 노력하고 있다. 지금은 책을 쓰는 사람들에게 많은 기회와 가능성이 열린 책쓰기의 전성시대. 책을 쓰면 작가로서 활동할 수 있으며, 그로써 아웃풋을 창출할 수 있다. 작가로서의 삶은 독특하고 의미 있는 여정을 제공한다.

작가로서의 성장과 변화는 글을 쓰는 과정에서 실현된다. 책을 쓰는 것은 자신의 생각을 구조화하고 표현하는 기술을 향상시키며, 더 나은 글쓰기 기술과 창의성을 발전시킨다. 또한 작가로서의 성장은 끊임없는 연습과 실험을 통해 이루어진다. 글을 쓰는 것은 자신의 생각과 이야기를 체계적으로 전달하는 과정이기도 하다. 이 과정에는 노력과 시간이 필요하지만, 그 결과로 탄생한 책은 많은 사람에게 영감과 변화를 선사하는 힘을 지니게 된다.

하지만, 책쓰기에 시간과 노력을 투자하면서 빠른 결과와 보상을 기대하는 조급함이 작가로서의 성장을 방해하는 요소일 수 있다. 글을 쓰는 것은 예술적인 과정으로서 시간과 노력이 필요한 일이며, 이를 간과하고 즉각적인 성과를 바라면 예술과 성장의 진정한 가치를 놓칠 수 있다. 또한, 작가로서의 성공을 책의 결과물만으로 정의하는 것은 오해다. 작가로서의 성공은 글을 쓰며 나아가는 여정과 변화에서 비롯된다. 그렇기 때문에 작가로서의 성장은 작은 시작으로부터 출발하며, 시행착오와 노력을 통해 이루어지는 것이다.

필자는 책쓰기를 통해 여러 분야에서 아웃풋을 실천함으로써 아웃풋전문가로 활동하고 있다.

책쓰기는 글쓰기를 넘어 개인의 생각과 이야기를 체계적으로 전달하는 과정이다. 노력과 시간이 필요하지만, 그 노력의 결실로 탄생한 책은 여러 사람에게 영감과 변화를 선사하는 힘을 갖게 된다. 작가로서의 성장은 열망이 있다고 해서 충분하지 않다. 진정한 변화는 글을 쓰며 내려가는 여정에서 비롯된다. 이 여정은 가끔 어렵고 지칠 수 있지만, 그 속에는 자신의 소중한 가치와 이야기가 담겨있다.

모든 작가와 작가가 되길 희망하는 분들에게 작가로서의 변화와 성장은 개인적인 의미와 영감을 담고 있다. 글을 통해 자신의 이야기를 공유하고 다른 이들에게 전달함으로써, 작가로서의 성장은 더 큰 의미와 가치를 찾아가는 여정이 될 것이다. 책을 쓰고 싶거나 작가가 되길 소망하는 모든 이들에게 책쓰기로 아웃풋하기를 응원한다.

책쓰기로 평생 인세를 만들어라

"당신만이 전할 수 있는 이야기를 써라. 당신보다 더 똑똑하고 우수한 작가들은 많다."

- 닐 게이먼 -

1. 완성된 글을 책으로 만드는 과정

완성된 원고가 책으로 탄생하기까지의 과정은 여러 전문적인 단계를 거친다. 작가는 자신의 원고를 출판사에 제출하거나, 부크크나 유페이퍼와 같은 플랫폼을 이용하여 종이책 또는 전자책으로 자비출판을 진행할 수 있다. 원고가 출판사에 도착하면, 편집자가 원고의 내용을 면밀히 검토하고, 필요에 따라 수정을 요청한다. 이 단계에서 원고의 구성, 문체, 맞춤법 등이 세심하게 다듬어지며, 작품의 품질 향상에 중점을 둔다.

편집이 완료되면 책의 디자인 과정으로 진행된다. 이때, 작가는 미리캔버스나 캔바와 같은 도구를 활용하여 책의 표지를 직접 디자인할 수 있다. 표지 디자인은 작품의 주제를 효과적으로 전달하고 독자의 관심을 끄는 데 중요한 역할을 한다. 내부 레이아웃과 글꼴 선택은 책의 전반적인 가독성과 미적 감각을 결정짓는다.

디자인이 확정되면, 인쇄 과정이 시작된다. 부크크를 통해 종이책을 출판하거나, 유페이퍼에서 전자책을 제작할 수 있다. 인쇄 시에는 종이의 질과 인쇄 방식이 중요한 고려 사항이다. 인쇄와 제본을 거쳐 완성된 책은 서점이나 온라인 플랫폼을 통해 배포되며, 작가는 작품을 널리 알리기 위한 다양한 홍보 활동을 진행한다.

책의 출판은 다양한 전문가들의 협력과 세심한 작업을 통해 이루어진다. 작가, 출판사, 디자이너, 인쇄 전문가들의 노력이 모여 원고는 최종적으로 독자들에게 선보이는 책으로 탄생하게 되며, 작가의 메시지와 이야기가 널리 전파되는 것이다.

2. 출판 후 마케팅 및 홍보 방법

책 출판 후 마케팅 및 홍보 과정은 작품의 성공을 결정짓는 중요한 단계로, 다양한 전략을 필요로 한다. 작가는 먼저 자신의 책에 대한 인지도를 높이기 위해 온라인 플랫폼을 적극 활용한다.

필자의 경우, 해피꿈북클럽에서 공저를 쓰거나 개인 전자책을 쓸 경우 각 블로그 포스팅을 통해 오픈채팅방에 책 출간 소식을 알리고, 해피꿈북클럽이나 독서모임, 오픈채팅방에서 출간한 책을 주제로 강의를 진행한다. 강의 후에는 참가자들의 후기를 수집하고, 이를 홍보에 활용하여 책에 대한 관심과 인지도를 높인다.

소셜 미디어, 개인 웹사이트, 블로그를 통해 책의 정보를 공유하고, 독자들과 직접 소통하여 관심을 유발한다. 이러한 플랫폼은 책의 내용, 주제, 출판 과정에 대한 소개뿐만 아니라, 독자들의 피드백을 수집하는 데에도 유용하게 활용된다.

이와 더불어, 작가는 온라인 서점과 독자 리뷰 사이트에 책을 등록하여, 독자들의 긍정적인 리뷰를 적극 활용한다. 이를 통해 책에 대한 좋은 평판을 구축하고, 추천도를 높일 수 있다. 독자들의 리뷰는 신뢰성을 부여하며, 잠재적인 독자들의 관심을 증가시키는 데 기여한다.

추가적으로, 작가는 다양한 오프라인 행사에 참여한다. 출간 기념회, 책 발표회, 서점에서의 사인회, 독서 모임, 문학 행사 등에 참여하여 책을 직접 소개하고, 독자들과 만나 소통하는 기회를 마련한다.

더 나아가, 언론 매체와의 인터뷰, 팟캐스트 출연, 칼럼 기고 등을 통해서도 책에 대한 인지도를 높일 수 있다. 이러한 다양한 활동을 통해 작가는 책에 대한 대중의 인식을 강화하고, 더 넓은 독자층에게 도달할 수 있다.

이렇게 마케팅과 홍보 과정은 작가와 출판사의 협력과 노력이 모여 책을 널리 알리고, 많은 독자에게 읽히게 하는 데 결정적인 역할을 한다. 이를 통해 작가는 자신의 메시지와 이야기를 효과적으로 전달하며, 작품의 성공적인 판매를 이루어낼 수 있다.

3. 초보작가가 인세를 높이는 방법

초보 작가가 인세를 높이는 방법에는 몇 가지 특별한 접근이 필요하다.

첫째, 초보 작가는 자신의 작품을 더 넓은 독자층에게 알리기 위해 효과적인 네트워킹을 구축해야 한다. 이를 위해 문학 행사, 독서 모임, 작가와의 만남 같은 이벤트에 참여하거나, 소셜 미디어에서 다른 작가들과의 교류를 활발히 하는 것이 좋다. 이러한 활동은 작가의 작품이 더 많은 사람에게 알려지는 데 도움을 줄 수 있다.

둘째, 작가는 독자들과의 직접적인 소통을 강화해야 한다. 소셜 미디어, 블로그, 이메일 뉴스레터 등을 통해 자신의 작품과 창작 과정에 대해 공유함으로써 독자들과의 연결을 강화할 수 있다. 이는 독자들이 작가와의 개인적인 연결을 느끼게 하며, 책에 대한 충성도와 관심을 높일 수 있다.

셋째, 초보 작가는 자신의 작품을 다양한 형태로 제공하는 것을 고려해야 한다. 예를 들어, 전자책, 오디오북, 단편집 등 다양한 형식을 통해 작품을 출판함으로써 더 많은 독자에게 접근할 수 있다. 이러한 다양한 형식은 새로운 독자층을 창출하고, 추가적인 수익원을 제공할 수 있다. 필자를 또한 책을 출간하여 인세 소득이 창출되고 있으며, 필자를 통해 작가의 길을 걷고 있는 분들도 책을 쓰고 인세 소득을 받고 있다.

　이러한 전략들은 초보 작가가 인세를 높이는 데 도움을 줄 수 있으며, 작가의 작품이 널리 알려지고 평가받는 데 기여할 것이다. 초보 작가로서의 독특한 이점과 창의력을 활용하여 적극적으로 작품을 홍보하고, 독자들과의 관계를 구축하는 것이 중요하다.

책쓰기로 퍼스널브랜딩하라

"글쓰기야 말로 위대한 기술이다."

- 자크바르 -

1. 전문가로서 성장의 중요성

책쓰기를 통한 전문가로서의 성장은 창작의 과정에서 풍부한 경험을 제공하며, 작가의 능력을 향상시키는 데 큰 역할을 한다. 책을 쓰는 과정에서 작가는 자신의 생각과 경험을 깊이 있게 탐구하게 되며, 이는 자기 인식을 증진시키고 창의적인 사고를 개발하는 데 도움이 된다. 또한, 작가는 책을 통해 자신의 전문 지식이나 경험을 체계적으로 정리하고, 이를 통해 자신의 전문성을 한층 더 강화할 수 있다.

책쓰기는 또한 작가에게 중요한 커뮤니케이션 기술을 발전시키는 기회를 제공한다. 복잡한 아이디어를 명확하고 효과적으로 전달하는 능력은 책쓰기 과정에서 필연적으로 강화된다. 이는 작가가 자신의 메시지를 독자에게 더 잘 전달할 수 있게 하며, 다른 매체에서도 유용하게 활용될 수 있다. 또한, 책쓰기는 작가가 자신의 생각과 아이디어를 세계와 공유하고, 다른 사람들과 의미 있는 대화를 나눌 수 있는 창을 열어준다.

이러한 전문가로서의 성장은 작가의 경력에 긍정적인 영향을 미칠 뿐만 아니라, 작가의 작품에도 반영되어 독자에게 더 깊이 있는 경험을 제공한다. 따라서, 책쓰기는 단순한 텍스트의 생산 이상의 의미를 갖으며, 작가 개인의 성장과 발전에 중요한 역할을 한다. 책을 쓰는 것은 개인적인 표현의 수단일 뿐만 아니라, 전문적인 발전을 위한 강력한 도구로서 작용할 수 있다.

2. 책쓰기로 퍼스널브랜딩하라

책쓰기를 통한 퍼스널브랜딩은 작가로서의 전문 영역에서 두각을 나타내고, 그 영역에서 지속 가능한 영향력을 발휘하는 데 있어 매우 중요한 역할을 한다. 필자 또한 '아웃풋전문가' 및 '책쓰기 작가양성 전문가'와 같은 퍼스널브랜드를 구축하였다. 필자는 하루 만에 책을 집필하고 출간하는 방법을 많은 사람에게 알렸으며, 이를 통해 전문성을 높이는 계기가 되었다.

중요한 것은 자신만의 고유한 전문 지식과 경험을 책에 담아, 독자에게 특별한 가치를 제공하는 것이다. 작가는 자신의 책을 통해 개성과 전문성을 드러내야 하며, 이 과정에서 적극적인 홍보와 마케팅이 필수적이다. 다양한 플랫폼과 매체를 통해 자신의 작품을 홍보하는 것이 중요하다.

이를 통해 자신의 전문성과 명성을 쌓아가야 한다. 이러한 노력은 작가의 경력 발전에 있어 매우 중요한 단계이며, 지속적인 성공을 위한 기반을 마련할 것이다.

내가 글을 쓰는 이유

생각명료화전문가 김일

　대기업에서　16년간　회계전문가로　근무하고　중소기업 CEO를　역임하였다. 부경대학교에서　경영학　박사학위를　취 득하고 동 대학교 경영학과 겸임교수로 근무했다. 현재는 생 각명료화전문가로 독서를 통해 애매모호한 자기정체성을 최 적화된 비즈니스 도구와 연결함으로써 더 나은 수익화 경험 을 서비스하고 있다.

글쓰기, 생각을 정리하고 성장하는 여정

글쓰기는 단순히 생각을 정리하는 행위를 넘어서, 자신의 생각과 꿈을 표현하는 예술이다. 각자의 경험을 바탕으로 다양한 글을 창조해 내며, 이 과정에서 자신만의 독특한 목소리를 찾아간다. 그래서 글쓰기는 개인의 경험과 생각을 끄집어내고 표현하는 중요한 과정이라 할 수 있다.

지금부터 내가 글쓰기를 통해 얻은 의미와 성장 과정을 공유하고자 한다. 사람들은 왜 글을 써야 하는지, 글쓰기가 어떻게 그들의 성장에 도움이 되는지 종종 궁금해한다. 이러한 질문에 답하기 위해, 글쓰기가 주는 진정한 이유들을 정리해 보려고 한다.

첫째, 삶을 기록하기 위해서다. 글쓰기를 통해 삶의 경험과 감정, 시간을 초월하여 기록하고 보존할 수 있다.

둘째, 내가 아는 전문 분야에 대해 다른 사람들에게 알리기 위해서이다. 내 지식과 통찰을 공유함으로써, 독자들에게 새로운 시각을 제공할 수 있다.

셋째, 글쓰기가 생각을 정리하는 데 도움을 주며, 성장을 촉진한다. 글을 쓸 때, 자기 생각을 명확하게 하고, 더 깊이 있는 사고를 할 수 있게 된다.

마지막으로, 책을 읽고 글을 쓰는 것의 중요성을 공유하고자 한다. 책을 읽음으로써 다양한 관점으로 생각할 수 있으며 아이디어를 얻을 수 있다. 이는 글쓰기를 더 풍부하게 만들어 준다.

글쓰기는 단순히 기록하거나 소통하는 수단이 아니다. 그것은 자기성찰, 성장, 지식 공유를 위한 강력한 도구다. 자기 생각과 주변 세계를 탐색하게 해준다. 이는 삶을 모든 여정에서 빼놓을 수 없는 아주 중요한 부분이다. 글쓰기를 통해 자신을 더 잘 이해하고, 끊임없이 성장해 나갈 수 있다.

글쓰기, 삶과 대화하는 시간

글을 쓰다 보면 글이 말을 걸어온다. 글과 대화를 하고 컴퓨터 자판과 대화를 하면서 글을 풀어 나간다.

수락산에 자주 올라간다. 사는 집이 수락산 근처에 있다. 수락산은 언제나 두 팔을 벌려 반겨준다. 언제 올라도 엄마 품처럼 따뜻함을 느낀다.

글을 쓰기 위해서 수락산에 올라갈 때는 가방에 컴퓨터와 책 한 권, 그리고 메모지와 휴대전화를 가지고 올라간다. 먼저 책을 읽으면서 글쓰기를 준비한다. 가지고 가는 책은 글을 쓰기 위해서 나와 결이 맞는 글을 쓴 작가의 책이다. 책을 읽으면서 책 속에서 쓸 글의 소재를 끄집어낸다. 그러다 보면 나도 모르게 책 속으로 빠져들곤 한다. 글을 쓰려고 왔는데 독서 삼매경에 빠져들어 본연의 목적을 잃게 되는 일이 있기도 하다. 그럼에도 불구하고 책을 먼저 읽는 것은 따르고 싶은 작가의 문장 속에 빠져들고 싶기 때문이다. 결이 맞는 작가의 책에서 찾은 문장을 내 글 속으로 가지고 와서 내 글에 반영하면 된다. 책을 읽고 나면 뼈대를 잡고 글을 써 내려간다.

주제를 만들고 글을 쓰다 보면 어느 순간 쓰고 있는 글과 대화를 하게 된다. 나도 모르게 그 대화 속에 푹 빠져들곤 한다.

글을 쓰는 것은 나와 깊은 대화를 하는 시간이다. 나의 내면 속으로 깊이 들어갈 수 있게 만들어 준다. 글쓰기는 나의 내면과 대화하고 소통하는 시간이다. 이 시간이 나에게 소중한 이유가 바로 여기에 있다. 글을 쓰면서 생각하고 정리하면서 나를 정리하는 시간을 가지게 된다.

글을 쓰면서 세상을 바라보는 새로운 시각을 얻게 된다. 살아온 삶을 돌아보며 나에게 주어진 의미를 깨닫게 된다. 또한, 다른 사람들의 생각과 경험을 공유하면서 나를 성장시킨다.

글을 통해서 깨달은 것 중 하나는 인생은 소중한 선물이라는 것이다. 살아오면서 많은 어려움과 고난을 겪었다. 하지만 그 과정에서 강해지고 성장할 수 있었다. 살아 있다는 것 자체가 감사한 일임을 깨달았다.

또 다른 깨달음은 삶은 끊임없는 선택의 연속이라는 것이다. 하루하루 많은 선택을 해야 한다. 그 선택에 따라 삶은 달라진다. 내 선택에 책임을 지고, 그 선택을 통해서 나만의 삶을 만들어 가고 있다.

글쓰기를 통해서 점차 변화하고 있다. 더 깊이 생각하고, 더 넓게 바라볼 수 있게 되었다. 또한, 더 용감해지고, 더 긍정적으로 살아갈 수 있게 되었다.

글쓰기를 통해서 나 자신을 발견하고, 성장시키고, 변화시키고 있다. 글쓰기는 나에게 있어 소중한 삶의 동반자이다.

글을 통해서 세상을 바꾸고 싶다. 내 글을 통해서 사람들에게 위로와 희망을 전하고 싶다. 사람들에게 세상을 바라보는 새로운 시각을 제시하고 싶다. 세상을 조금 더 따뜻하고, 조금 더 행복한 곳으로 만들고 싶다.

글쓰기는 나에게 감동을 준다. 내가 쓴 글을 읽고 다른 사람들이 공감하고 위로를 받는 모습을 보면 가슴이 벅차오른다. 글을 통해서 사람들과 소통하고, 사람들에게 영향을 미칠 수 있다는 것에 감사한다.

글쓰기는 나에게 삶의 의미를 준다. 글쓰기를 통해서 자신을 발견하고, 성장시키고, 변화시키고, 세상을 바꾸고, 더 나은 삶을 살아가고 싶다.

내가 글을 쓰는 이유

글을 쓰는 것을 좋아한다. 글을 쓰는 것은 나에게 있어 삶의 의미를 주는 일이다.

글을 쓰는 첫 번째 이유는 삶을 기록하기 위해서이다. 세상을 살아가면서 다양한 경험을 했다. 그 경험들을 글에 담아서 남기고 싶다. 삶을 기록하는 것은 나 자신을 이해하는 과정이기도 하다. 어렸을 때부터 글쓰기를 좋아했다. 일기를 쓰고, 시를 쓰고, 글을 쓰는 것을 즐겼다. 글을 통해서 내 생각과 감정을 표현할 수 있었다. 글쓰기는 나에게 있어 내 안의 목소리를 들을 수 있는 창구였다.

성장하면서 다양한 경험을 했다. 대학에서 공부하고, 직장에서 일하고, 결혼하고 아이를 낳았다. 그 과정에서 많은 것을 깨달았다. 글을 통해서 그 경험들을 기록하고, 나를 이해하고자 했다. 글을 쓰면서 삶에 의미를 부여할 수 있었다. 글을 통해서 내가 누구인지, 무엇을 하고 싶은지 알게 되었다. 글을 통해서 내 존재 가치를 확인할 수 있었다.

글을 쓰는 두 번째 이유는 내가 아는 전문 분야를 다른 사람들에게 알려주기 위해서이다. 나는 다양한 분야에 대한 전문 지식을 가지고 있다. 그 지식을 다른 사람들과 공유하고 싶다. 글을 통해서 사람들에게 도움을 주고 싶다.

대학에서 경영학을 전공했고 중소기업에서 CEO를 경험했다. 대안학교에서 교감을 했다. 대학에서 경영학과 학생들을 가르쳤다. 이러한 작은 경험을 글로 녹여내서 사람들에게 전해주고 싶다. 나의 작은 경험이 누군가에게는 나침반이 되고 길이 될 수 있을 것이다.

지금까지 살아오면서 가보지 않은 인생길을 헤매면서 갔다면 이 글을 읽는 사람들은 최소한 한 사람의 경험을 통해서 작은 실수를 반복하지 않게 될 수 있기 때문이다. 그래서 내가 아는 전문 분야를 다른 사람들에게 알려주기 위해서 글을 쓴다. 글을 통해서 사람들의 삶을 조금 더 풍요롭게 만들고 싶다.

글을 쓰는 세 번째 이유는 글을 쓰면서 생각을 정리하고 성장하기 위해서이다. 글을 쓰는 것은 생각을 정리하는 과정이다. 무엇을 생각하고 있는지, 무엇을 느끼고 있는지 글을 통해서 깨닫게 된다. 글을 쓰면서 새로운 생각을 하게 되고, 새로운 시각을 갖게 된다. 글을 쓰면서 자신을 발견하고 성장할 수 있다. 글을 통해서 내 안에 잠재되어 있던 능력과 더 나은 사람이 될 수 있다는 가능성을 발견할 수 있었다.

글을 쓰면 머릿속에서 정리한 내용들을 끄집어낼 수 있는 능력이 생긴다. 생각이 글이 되어 나오면 신기하면서도 짜릿하다. 생각만 하고 있으면 세상과 만날 수 없다. 자신이 어떤 생각을 하고 있는지 알 수가 없다. 이것을 글로 표현하면 생각이 구체화 되는 것이다. 이처럼 삶을 기록하고, 전문적인 지식을 전달하고, 생각을 정리하면서 자신이 성장할 수 있다.

책을 읽고 글을 써야 하는 이유

　주변에는 책을 읽는 사람이 많이 있다. 그것은 아마도 내가 속해 있는 그룹들이 책을 좋아하는 사람이 많아서 일 것이다. 책을 읽는 모습을 보면 그냥 마음이 따뜻해져 온다. 우리나라의 통계를 보면 한 달에 책 한 권 읽지 않는다고 한다.

　사람들이 책을 읽지 않는 이유는 무엇일까? 시간이 없어서? 관심이 없어서? 내가 보기에는 독서가 주는 유익이 얼마나 큰지를 잘 모르기 때문이다. 단순히 책을 읽는 것이 시간 낭비라고 생각하고, 책을 읽어도 그것을 통해 자신의 성장과 변화가 일어나지 않는다고 생각하기 때문이다.

　책을 읽었는데 변화와 성장이 이루어지지 않는 것은 무엇

때문일까? 어떻게 하면 변화와 성장을 만들어 낼 수 있을까? 많은 사람이 독서를 하고서도 변화와 성장을 이끌어 내지 못하는 것은 아주 작은 차이다. 사람 대부분은 읽고 인풋하여 머릿속에만 차곡차곡 쌓아놓는다. 책을 읽고 변화하고 성장하려면 반드시 아웃풋을 해야 한다.

국어사전에서 지식은 '무엇을 배우거나 경험을 통하여 알고 있음.'이라고 한다. 내가 생각하는 지식은 조금 다르게 본다. 진정한 지식이란 '무엇을 배우거나 경험을 통하여 알고 있는 것을 끄집어내서 실제로 행동으로 옮길 수 있는 것'이다. 머릿속에만 차곡차곡 쌓아놓은 지식은 아무 변화를 만들어 내지 못한다. 여기에는 반드시 행동이 따라야 한다. 행동하지 않으면 아무 일도 일어나지 않기 때문이다.

독서를 통해서 인풋을 하였으면 글쓰기를 통해서 아웃풋을 해야 한다. 글을 쓴다는 것은 다양한 형태가 있다. 책을 읽고 간단하게 요약해서 블로그에 올린다. 매일의 일상과 감사를 일기 형태로 작성하는 방법도 있다. 어떻게 하든지 머릿속에 들어 있는 자신의 지식을 실제로 다른 사람이 볼 수 있고, 느낄 수 있도록 끄집어내어 글로 옮길 수 있어야 한다. 그것이 진정한 지식이다.

이러한 것은 매일 매일 한 줄의 글을 쓰면서 습관화시킬 수가 있다. 글을 써야 하는 이유는 바로 인풋한 것을 머릿속에서 정리하여 아웃풋을 하는 일이다. 아웃풋을 해야 진정한 지식이 되고 세상을 유익하게 할 수가 있다.

333 성장 공식

인생을 변화시키는 방법에 관해서 이야기한 책은 수없이 많다. 글을 쓴 사람들이 삶을 통해 변화하고 성장한 이야기를 엮어 놓은 것이기 때문이다. 성장 공식이 모두에게 똑같이 적용한다고 모두 똑같은 결과를 만들어 내지는 않는다. 성공 공식을 만나게 되면 자신에게 적용해 보아야 한다. 적용해 보고 자신에게 가장 잘 맞는 방법으로 업그레이드시키면서 자기 것으로 만들어야 한다.

'333 성장 공식'을 소개하고자 한다. '333 성장 공식'만 제대로 실행해도 인생의 엄청난 변화를 경험하게 될 것이다.

30분 책읽기
나는 독서법 책을 수십 권을 읽었다. 그러면서 내가 가장 잘 실천할 수 있고 나를 성장시킬 수 있는 독서법을 찾아냈다. 바로 매일 30분 책 읽기이다. 처음부터 30분 책 읽기를 할 수 있었던 것은 아니다. 처음 시작은 한 줄 책 읽기부터 시작했다. 그리고 한참을 지나서 한 페이지 책 읽기가 수월해졌다. 지금도 한 타임에 30분을 꼬박 앉아서 읽기를 하는 경우는 많지 않다.

짜투리 시간을 활용해서 책을 읽다 보니 새벽 독서모임 전에 10분 책읽기를 한다. 사무실 출근하면 일을 시작하기 전에 10분 책읽기를 한다. 퇴근하고 저녁에 책상에 앉아서 10분 책읽기를 한다. 이렇게 하루 30분 책 읽기를 하는 경우가 대부분이다.

가끔은 시간의 여유가 있을 경우에는 집중해서 30분 책읽기를 하는 경우도 종종 있다. 책을 읽을수록 점점 책 읽는 것이 재미있어지고 있다. 아마도 알아가는 재미 때문인 것 같다. 책을 읽으면서 사람들과 대화할 때 이야기 소재가 풍부해지고 있다는 느낌이 든다. 그래서 더 많은 책을 손에 들게 되고 읽게 된다.

30분 글쓰기

책을 읽고 나면 반드시 기록을 남겨야 한다. 우리의 뇌는 휘발성이 강하다. 머릿속에서는 오랫동안 기억할 것 같던 것들도 어느 순간 사라져 버리기 때문이다. 천재 아인슈타인은 "나는 전화번호는 외우지 않는다. 수첩에 메모할 뿐이다."라고 이야기한다. 물론 기억력하고는 다른 이야기가 될 수 있지만 기억을 해내는 것보다는 기록을 통해서 관리하는 것이 훨씬 효율적이기 때문이다.

책을 읽고 고개를 끄덕이고, 감동하고, 밑줄긋고 거기서 끝내는 경우가 너무나도 많다. 책을 읽고 자기 것으로 만드는 것은 바로 메모하는 것이다. 중요한 키워드 또는 한 문장을 메모하라. 여기에 플러스 하나가 인생을 바꾸는 묘약이다. 그것은 바로 책에서 찾은 키워드 하나, 한 문장에 자기 생각을 더 하고 그것을 글로 남기는 것이다. 자기 생각을 확장해서 글을 쓸 때 성장하게 되어 있다. 생각하고 실행해야 변화를 만들어 낼 수 있다. 생각에서 끝내지 말고 반드시 글로 쓰기 바란다.

하루 30분만 글을 써보자. 인생의 변화는 매일 꾸준히 글을 쓰면서 시작한다.

3분 말하기

성장 공식 세 번째는 바로 책을 읽고 또 다른 아웃풋을 하는 것이다. 30분 글쓰기를 통해서 생각을 확장했다면 이제는 사람들과 만나서 말하는 연습을 하는 것이 필요하다.

매일 아침 굿모닝생글(생따나비 아침독서모임)을 통해서 3분 말하기 훈련을 하고 있다. 책을 읽고 자신의 생각을 모으고 정리해서 3분 동안 짧게 전달해 주는 것이다. 어떠한 주제에 대해서 자기 생각을 정리해서 3분 안에 핵심을 전달한다는 것이 쉽지는 않다. 하지만 매일 아침 연습을 하다 보니 이제는 누가 말을 걸어도 생각을 짧게 정리해서 말하는 힘이 생겼다.

이러한 것은 하루아침에 이루어지지는 않는다. 꾸준히 자투리 시간을 활용해서 만들어 낼 수 있는 것들이다. 한꺼번에 뭔가를 이루어 내려고 하기보다는 작지만, 꾸준히 이어가는 방법을 추천한다. 내가 그렇게 한 줄 읽기로 시작한 독서가 이제는 매일 한 권 읽을 수 있는 힘을 갖게 되었기 때문이다.

매일 한 줄 글쓰기가 30분 글쓰기가 되어서 나를 성장하게 하는 힘이 되고 있다. 매일 3분 말하기로 지금은 누구와 이야기해도 내 생각을 정리해서 말할 수 있다.

매일 꾸준히 30분 읽고, 30분 쓰고, 3분 말하기 연습을 통해 변화하고 성장하는 자기 모습을 만나보기를 바란다.

글쓰기를 통해 성장하는 모습

　글을 쓰는 것은 생각을 정리하고, 자신을 성장시키는 데 도움이 된다. 글을 쓰면서 다음과 같은 변화를 경험했다.

　첫째, 생각이 정리가 된다.
　어렸을 때부터 생각이 많고, 정리되지 않은 편이었다. 한 가지 생각에 집중하지 못하고, 여기저기 흩어지는 생각을 가지고 있었다. 그것은 많은 스트레스와 혼란을 주었다. 그러던 어느 날, 글쓰기를 시작하게 되었다. 글을 쓰면서 생각을 하나하나 정리해 나갔다. 어떤 생각을 하고 있는지, 어떤 감정을 느끼고 있는지 글을 통해서 깨닫게 되었다. 글쓰기를 통해서 생각을 정리하는 능력을 키울 수 있었다. 이제 한 가지 생각에 집중할 수 있게 되었고, 생각을 논리적으로 표현할 수 있게 되었다.

둘째, 전문지식이 정리된다.

대학에서 경영학을 전공했다. 경영학을 공부하면서 다양한 지식을 얻었지만, 그 지식이 체계적으로 정리하면 좋겠다고 생각했다.

글을 쓰기 시작했다. 글을 쓰면서 학문적인 지식과 현장에서 경험한 것들을 하나하나 정리해 나갔다. 글쓰기를 통해서 전문지식을 정리하는 능력을 키울 수 있었다. 이제는 알고 있는 지식을 효과적으로 활용할 수 있게 되었다.

셋째, 무엇을 해야 하는지 정확하게 알게 된다.

직장생활을 하면서 인사, 총무, 회계, 자금조달, 영업관리, 생산관리, 개발, 법무 업무 등 회사 전반적인 분야에서 일을 하고 경험했다. 글을 쓰면서 과거의 경험을 소환해서 정리하는 시간을 가졌다. 글을 쓰고 정리하면서 지금하고 있는 일도 정리할 수 있게 되었다. 내가 하는 일의 의미와 방향을 정립할 수 있었다. 내가 무엇을 해야 하는지, 무엇이 중요한지 정확하게 알게 되었다.

글쓰기를 통해서 목표를 설정하고, 그 목표를 달성하기 위한 계획을 세우는 능력을 키울 수 있었다. 이제 내가 하는 일을 더 의미 있게 여기고, 더 열정적으로 일할 수 있게 되었다.

넷째, 미래를 꿈꾸게 된다.

글을 쓰면서 미래에 대한 꿈을 꾸게 되었다. 글을 통해서 이루고 싶은 것들을 구체화할 수 있었다.

글을 통해서 다음과 같은 꿈을 꾸게 되었다. 나의 작은 경험을 통해서 사람들에게 위로와 희망을 주고 싶다. 세상을 더 나은 곳으로 만들고 싶다. 사람들과 소통하고, 세상에 영향을 미치는 사람이 되고 싶다. 글쓰기를 통해서 미래에 대한 비전을 가지고, 비전을 실현하기 위해 노력하는 사람이 되고있다.

마지막으로 내가 성장한다.

글쓰기를 통해서 나는 다음과 같은 모습으로 성장했다. 생각이 깊어지고, 논리적으로 되었다. 표현력이 풍부해지고, 창의적인 사고 능력이 향상되었다. 자기 자신에 대한 이해가 깊어지고, 자신감이 생겼다. 글쓰기를 통해서 더 나은 사람이 될 수 있었다. 글쓰기를 통해서 계속해서 성장하고 있다.

글쓰기는 생각을 정리하고, 자신을 성장시키는 데 도움이 되는 좋은 방법이다. 글쓰기를 통해서 다음과 같은 변화를 경험해 보길 바란다.

　생각이 정리가 되고, 논리적인 사람이 된다. 표현력이 풍부해지고, 창의적인 사고 능력이 향상된다. 자기 자신에 대한 이해가 깊어지고, 자신감이 생긴다. 글쓰기를 통해서 당신도 더 나은 사람이 될 수 있다.

나의 책쓰기 도전기

김가형

경치 좋은 시골 중학교 교사이다.

오랜만에 만난 여유와 착한 아이들의 심성에 하루하루 감사하며 생활하고 있다.

저서: 강사의 시대, 강의로 아웃풋하라

이 글을 시작하며

　어린 시절 보았던 드라마 중 이런 장면이 있었다. 50대 후반의 평범한 여고 동창생 셋이 바닷가 모닥불 앞에 둘러 앉아 학창 시절을 반추하는 씬이었다. 한 명이 당시 자신의 꿈을 기억하지 못하자 옆에 친구가 말했다. "넌 작가가 되고 싶어 했잖아. 사람들에게 감동을 주는 멋진 글을 남기고 싶다고 늘 말했었어." 이런 류의 대사였다. 이 말을 듣고 타오르는 모닥불을 바라보던 배우의 알 듯 모를듯한 표정이 기억난다.

　뒤늦게 참여한 해피꿈북클럽 시리즈5 프로젝트에서 "작가와 글쓰기"라는 주제를 듣고 왜 이 장면이 떠올랐을까? 드라마를 보면서 작가는 누구나 한 번쯤 품는 꿈이구나 어렴풋이 생각했다. 나도 어렸을 적 "작가가 된다면" 하고 상상한 적이 간혹 있었다. 하지만, 먹는 밥그릇 수에 반비례해 독서량은 줄어들고, 영혼이 깃든 명작이나 주변에 재능 있는 이들을 지켜보면서, 나와는 관계없는 분야라고 관심을 두지 않았다. 작년 여름 전까지는.

작년 한 해 직장을 휴직했다. 엄마를 모시고 서울 병원도 다니고, 짧지만 국내와 해외를 여행했다. 여기저기 기웃거렸는데 지금 돌아보니 가장 일관되게 활동한 것은 독서 모임이었다. 그리고 여름 한 철은 독립출판 관련 수업을 들으며 글쓰기에 빠져있었다. 온라인상에는 '작가 되기' 열풍이 거세었다. 작년 여름만큼 "작가"라는 말이 내 삶의 중심에 놓였던 적이 없었다. 처음 휴직을 계획할 때는 예상치 못한 일이었다. 그해 나의 삶이 독서와 글쓰기를 중심으로 어떻게 이어졌는지, 책쓰기 도전이 어떻게 시작되고 끝났는지 풀어보고자 한다.

책쓰기의 시작은 독서모임

작년 2월 초, 머리 아프게 고민 후 1년 휴직을 결정했다. 고등학교 교사로 일해온 10년 동안, 밤늦게까지 일터에 매여있는 생활에 익숙했기에, 남아도는 시간을 무엇으로 채울지 덜컥 걱정되었다. 그즈음 최선경 선생님의 이기적 16기 모집 공고를 보았고 신선하다고 여겨 신청하였다. 이 연수는 참여자들이 21일간 매일 블로그에 글을 쓰고 인증받는 식으로 진행되었다. 나는 인문 동아리 아이들에게 선물했던 <공부란 무엇인가>를 읽고 인상적인 구절과 느낀 점을 블로그에 썼고 총 10일을 인증받았다.

연수 후, 최선경 선생님을 통해 생각학교와 해피꿈북클럽을 알게 되었다. 생각학교는 고전을 읽고 줌으로 2주에 한 번씩 모여 이야기를 나누고, 매일 제시된 주제에 맞는 짧은 글 한 편을 15분 안에 써서 인증하는 식으로 진행되었다. 생활기록부만 들여다보다 오랜만에 독서모임이라 색달랐다. 3월 말부터 5월 말까지 카프카나 조지 오웰의 짧은 소품을 읽고 토론했고, 총 40편의 글을 적었다. 마지막에 <단단한 독서> 서평을 쓰기 위해 도서관에서 연신 하품을 해대며 힘들게 책장을 넘기던 기억이 난다. 프로그램 후 각자가 적은 글을 묶은 두툼한 책이 집으로 왔다.

4월에서 6월 초까지 참여한 해피꿈북클럽은 각자 책을 읽고 ppt를 만들어 강의하는 식으로 진행되었다. 단순히 책 읽기에 그치지 않고 강의로 확장한 것이 타 독서 모임과 달라 보였다. 나는 다른 독서모임에서 읽은 인문 고전과 경영학 서적의 내용을 정리하여 강의하였다.

또 절친한 후배가 조직한 지역 독서 모임에도 들어갔다. 후배는 퇴직 후 독립서점 경영이 꿈일 정도로 책을 사랑했다. 우리는 돌아가며 책을 선정해 읽었고 단양 새한 서점처럼 특색있는 인근 서점을 탐방하였다.

휴직하고 무료하게 보내면 어떡하나 걱정했는데, 온라인은 별세계였다. 알지 못했던 다채로운 오픈채팅방과 다양한 주제의 특강이 수시로 올라왔다. 나는 놀이공원에 처음 온 아이처럼 이곳저곳 들어가 무료 특강을 들어보았다. 독서 인구 감소라는 현실과는 별개로, 온라인상에는 독서모임과 책쓰기 컨설팅이 넘쳐났다. 책의 목적은 홍보, 경제적 수익, 자아실현 같았고 누구나 작가가 될 수 있다는 말이 시대의 슬로건처럼 나부꼈다. 여러 무료 특강 중 L 작가가 주부들에게 한 말이 아직도 기억난다. "내 글을 누가 읽겠나 생각하지 마세요. 누군가는 읽고 반드시 도움을 받아요. 내가 처음 글을 썼을 때, 이런 편지를 받았어요. 내가 죽으려고 했는데 당신 글을 보고 살기로 마음먹었소."라고.

나는 켈리 최 회장의 강연을 통해 알게 된 켈리스 독서모임에도 온라인으로 참여했다. <타이탄의 도구들>, <원씽> 같은 경영서나 자기계발서를 읽고 매주 토요일 줌으로 모였는데 책에서 얻은 아이디어를 일이나 삶에 어떻게 연결 짓고 적용할 것인지 생각을 나누고 배울 수 있었다.

가장 즐거웠던 것은 지역 도서관의 고전 읽기 강좌였다. 선생님은 철학 전공자로 대구에서 인문학 북카페를 운영하셨는데 내공이 상당했다. 나는 대학교 교양강좌에 맞먹는 양질의 강의에 매 시간 놀라고 행복했다. 도스토옙스키의 <죄

와 벌>, 도리스 레싱의 <풀잎은 노래한다>처럼 혼자라면 절대 읽지 않을 책이나 안톤 체호프의 <귀여운 여인>처럼 수업이 아니라면 알지 못했을 책을 매주 한 권씩 읽고 도서관에 모였다. 안개 속 한 뼘에 불과한 내 생각이 다른 이의 의견을 들으면 두 뼘, 세 뼘씩 자라났고, 선생님 질문에 답하거나 강의를 듣다 보면, "와, 이 작품이 이렇게나 심오하고 깊은 주제가 있었구나!"하고 안개가 걷히는 희열을 맛보았다. 선생님이 얼마나 고심해서 질문을 구상하고 수업을 준비했는지 여실히 보였다. 6월 초 여행을 떠나면서도 나는 이 수업에서 읽어야 할 책을 전자책이나 종이책으로 챙겨갔다. 14주에 걸친 수업 하나하나가 모두 알차고 밀도 있었다.

독립출판을 배우다

여행을 마치고 7월 중순 돌아왔을 때, 후배가 제안했다. 독립출판 수업을 들어보자고. 대구에서 6회에 걸친 독립출판 수업이 있는데 후배는 그것을 듣고 올해 책을 낼 계획이라고 했다. 그녀는 독서량이 상당하고 이미 브런치 작가이기도 했다. 그녀가 한창 브런치에 도전할 때 함께 해보자고 해서 나도 글을 몇 편 올렸지만, 심사에서 떨어졌고 더는 글을 쓰지 않았다. 나는 독립출판에 대해 아는 바가 전무했다. 6번 수업으로 책 한 권이 나온다는 게 믿기지 않았다. 고민하다 이때가 아니면 하기 힘들 것 같았고 수업이 어떻게 진행되는지 궁금하기도 했다. 한가득 의문을 품고 2회차부터 참여했다.

매주 토요일 저녁, 우리는 번갈아 차를 몰고 대구로 갔다.

수강생은 나와 후배, 그리고 내 나이 또래의 여성까지 총 3명이었다. 간단한 자기소개와 어떤 책을 쓸 것인지 이야기를 나눴다. 수업은 6주에 걸쳐 독립출판의 전 과정을 체험하도록 진행되었다. 2주 차에 기획, 3주 차에 내지 디자인, 4주 차에 표지 디자인, 5주 차에 인쇄, 6주 차에 유통과 마케팅을 배우는 식이었다. 지금 생각해 보면 원고 작성이 가장 중요했다. 2주 차 수업 후부터 3주 차 수업 전까지 일주일간 글을 다 써야 했고 늦어도 6주 차 전에는 원고를 완성해야 했다. 속지는 한글로 썼고 표지 디자인은 인디자인이라는 포토샵 프로그램을 이용해서 만들었다. 선생님은 친절했지만, 나는 원고 작성과 인디자인 사용이 몹시 힘들었다.

후배는 예전 브런치에 올린 글을 묶어 책을 낼 생각이라 따로 원고 작성이 필요치 않았다. 나는 첫날 기획하기 단계에서 부모님을 중심으로 가족 이야기를 쓰기로 마음먹었다. 속도감 있는 커리큘럼에 다른 소재거리를 찾을 여유도 없었고, 그동안 주말에만 집에 오다 그해 부모님과 진득하게 온종일 있어 보니 예전에 미처 느끼지 못한 것들이 많았다. 여느 가족이 다 그러하듯이 우리도 에피소드가 많은 집안이었다. "나와 가족 사이"라고 제목도 정했다. 수업과는 별개로 대구로 왔다 갔다 하는 차 안에서 후배와 이야기하며 생각이 정리되었고 아이디어가 뻗어나갔다.

다음 주까지 원고를 완성해야 하기에 마음이 급했다. 앞뒤 돌아볼 여유 없이 온종일 책상에 앉아 글을 썼다. 누가 뭐 하냐고 물어도 글 쓴다는 말만 반복했다. 간혹 부엌에 나와 냉장고 문을 여닫는 것 말고는 컴퓨터 앞에 앉아있는 나를 보며 아빠가 엄마에게 물었다.

"자는 뭐 한다고 저래 방 안에만 있노. 밥해준다고 휴직하고는 나오지도 않네."

엄마가 말했다. "놔두소. 지가 알아서 하겠지 뭐."

그러고는 엄마는 아빠 몰래 내 방에 와서 강하게 타일렀다.

"아이고, 쓸데없는 짓 좀 그만해라. 건강을 해쳐. 이럴라고 직장 안 가고 휴직했나. 얼른 자거라."

예전부터 후배는 내게 글쓰기의 장점을 자주 언급했다. 그중 하나가 다른 생각을 할 겨를이 없고 시간이 금방 간다는 것이었다. 그녀의 말이 맞았다. '그때 엄마가 무슨 표정이었지? 아빠가 뭐라고 말했지? 내 기분이 어땠지?' 식으로 기억을 더듬다 보면 시간이 훌쩍 지나 있었다. 빙의한 사람처럼 그들의 감정을 느끼려고 했고 어떨 때는 밤에 글을 쓰다 말고 감정에 북받쳐 눈물도 흘렸다. 자다가도 문장

이 떠오르면 일어나서 메모했고, 이를 닦으면서도 다음 내용
이 생각났다.

왜 하필 가족 이야기로 정했을까? 엄마 아빠와의 에피소
드로 시작한 이야기가 조금씩 조금씩 불어났다. 그 해 있었
던 일만 쓰려고 했는데, 점차 더 이전, 나의 어린 시절로 뻗
어가고, 소재가 가족이다 보니 여동생과 남동생도 한 꼭지씩
주인공을 맡아 이야기에 등장했다. 후배에게 어느 정도 분량
의 글을 썼냐고 물어보니 170쪽 정도라고 말했다. 그 정도
는 써야 하는구나 싶어 예전 블로그에 끄적여 둔 외할아버
지 이야기를 붙여 넣었고, 할머니 이야기도 이어 붙였다. 글
은 200쪽 가까이 늘어났다. 가히 가족의 역사를 써버릴 참
이었나 보다. 하지만 중심 소재는 아빠였다.

글쓰기를 내면과 대화라고 했던가. 하얀 화면을 마주하고
스스로에게 물어가며 뭐라도 적다 보면, 자꾸 아빠에 대한
불만이 새어 나왔다. 코믹하게 적어도 내 시선은 어딘가 삐
딱했다. 수업에서 돌아오는 차에서 후배가 언제 글이 끝나냐
고 물었다. 나는 아직 이런 에피소드가 있는데 이렇게 쓸
참이라고 들려주었더니 그녀는 놀란 목소리로 말했다. "샘,
인제 그만 써도 될 것 같은데. 어쨌든 아빠 돌려 깎는 내용

이잖아요." 나는 속으로 뜨끔했다. 엄마는 내 글을 읽고 이렇게 말했다. "나쁜 이야기는 쓰지 마라. 좋은 것도 다 못 써." 그래서 나는 에피소드 하나를 지웠다.

글쓰기는 쉽지 않았다. 후배 말대로 미리 써 둔 원고가 없다면 따라가기 힘든 수업이었다. 수강생 중 한 명은 어느 순간 나오지 않았다. 나와 후배는 3, 4차시에 인디자인으로 표지 만드는 법을 배우고 작업을 이어갔다. 나는 글쓰기도 배우고 싶었지만, 그것은 오롯이 개인의 몫이었다. 일단 분량을 채우는 게 중요했기에, 몇 년 전 들었던 강원국의 글쓰기 강연과 생활기록부 쓸 때와 수업 지문에서 늘 확인하는 주어 동사 수 일치, 예전에 읽었던 파울루 코엘류의 글은 짧게 쓰라고 조언한 신문 기사 등을 떠올리며 써나갔다. 후배는 차 안에서 농을 건넸다. "샘, 책을 출판하면 내가 앞으로 샘을 김 작가~라고 부를 거야." 나는 까르르 웃었지만, 만약 책을 출판하더라도 내가 작가라는 생각은 들 것 같지 않았다. 글을 쓸수록 작가들을 존경하게 되었다. 도서관에 나열된 무수히 많은 책을 보니 다들 이런 과정을 거쳐 나왔겠구나 싶어 다시 보였다.

후배는 자기 작품을 보내주며 어떤지 물어보았다. 뛰어난 입담만큼이나 그녀는 글을 빨리 썼고, 그것은 여느 작가 못

지않게 흡입력 있고 재미있었다. 나도 내가 쓴 것 중 나름 괜찮다고 생각한 것을 보여 주었다. 그녀는 내 글이 진솔하고 메시지가 있다며 칭찬해 주었다. 글 쓴다고 끙끙거릴 때마다 후배는 용기를 주었다. 그 정도 쓰면 된다고. 독립출판에는 내 글보다 완성도 떨어지는 것도 많고 어차피 대가들 책이 아닌 이상 거기서 거기라고. 그녀의 말처럼 독립출판물은 기발한 아이디어만큼이나 분량과 형식이 다양했다. 맞춤법이 틀린 것도 간혹 눈에 띄었고 시집만큼 얇은 책도 부지기수였다. 부실하다 싶은 책들을 펼쳐보며 아이러니하게도 용기를 얻었다. "그래, 멋진 책만 출판하는 건 아니지."

책의 완성도를 따지기에는 시간이 턱없이 부족했고, 나의 글쓰기 속도는 더뎠으며 가족 이야기는 쉬이 끝이 나지 않았다. 어느 밤, 큰이모 이야기까지 쓰고 나서야 더 이상 쓰지 않아도 될 것 같았고, 쓸 기력도 없었다. 2주 정도 글을 쓰고 후배와 속도를 맞추기 위해 나도 퇴고를 시작했다. 인디자인 사용에 서툴고 속도가 늦은 나를 위해 친절한 선생님은 끙끙대는 내 옆에서 책 표지를 만들어주셨다. 다행히 인디자인은 7일간 무료 체험판을 사용해서 돈이 들지 않았다. 이때까지는.

퇴고는 글쓰기와는 차원이 다른 힘든 작업이었다. 쓸 때 나름 꼼꼼히 살폈다고 생각했는데 다시 보니 거슬리는 게 한둘이 아니었다. 생활기록부처럼 볼 때마다 고칠 부분이 눈에 띄었다. 주변 사람들에게 보여 주고 의견을 물으면 모두 의견이 달랐고 이유를 들어보면 다들 타당했다. 결국 오롯이 내가 결정해야 했다. 내용은 둘째치고 형식적인 측면에서 의문이 생길 때도 많았다. 문단을 어디서 나눌지, 문단과 문단 사이는 한 줄을 띄워야 할지 붙여야 할지, 인용문에는 작은따옴표인지 큰따옴표인지 등이 늘 헷갈렸다. 도서관에 가서 여러 에세이 책을 펼쳐보아도 다들 천차만별이었다. 후배와 선생님 등 주변에 물어보고 다른 책들을 참고하며 기준을 정해나갔다. 왜 사람들이 출판사에 의뢰하는지 알 것 같았다. 교정과 표지를 다른 사람에게 맡기고 싶었지만, 독립출판의 취지는 전 과정이 작가의 몫이기에 나는 알량한 종이 뭉치를 쥐고 읽고 또 읽었다.

8월 13일, 어느새 6회차 수업이 끝났고, 후배는 얼마 뒤에 그녀의 책을 독립 출판했다. 나는 긴장이 풀렸다. 다행히도 선생님은 여전히 내 질문에 친절히 답해주셨다. 속도는 떨어졌지만 그래도 원고가 있으니 두 번째 여행 전까지는 퇴고를 끝낼 거라고 믿으며 숨을 고르던 참이었다.

퇴고는 계속되다

 8월 말, 도서관에서 향토 작가인 "권○○작가의 글쓰기 수업"이 눈에 들어왔다. 작가에 대한 정보는 없었지만, 어떻게 글을 쓰는지 궁금하여 신청해 보았다. 그는 우리나라의 위인이나 실존 인물, 설화 속 인물을 배경으로 어린이 소설, 청소년 소설, 성인 소설, 뮤지컬 등 다작을 한 대단한 분이었다. 수강생 모두 오랜 기간 글을 써온 사람들 같았다. 작가는 수상작에 속지 말고 잘못된 점을 찾아보라며 비판적 사고를 강조했다. 우리는 신춘문예 동화 수상작을 읽고 어색한 부분을 찾아보거나, 법정 스님의 무소유처럼 걸작 에세이를 읽으며 감상평을 나누었다. 수업 후반부에는 각자가 쓴 글을 가지고 돌려 읽으며 비평했다. 나는 7월에 쓴 원고가 생각나서 그때 쓴 이야기를 하나씩 들고 가봤다. 확실히 많은 사람의 피드백을 받으니 좋았다. 퇴고를 끝낸 원고도 다시 보니 군더더기가 넘쳐났고, 주제와 맞지 않는 부분도 눈에 들어왔다. 날짜나 시간 등 독자에게 불필요한 정보에 내가 집착하는 경향이 있다는 것과 문단 사이를 띄울 필요가 없다는 것도 배웠다. 아직 책을 출판하지 않아 다행이라고 안도했다. 내 글은 여전히 미완성이고, 완성으로 가려면 또 한참이 걸릴 것임을 실감했다.

9월 중순, 후배가 또 다른 독립출판 수업을 소개해 주었다. 지난번 들었는데 또 듣냐는 나의 물음에 그녀는 이곳이 처음과는 성격이 다르며 디자인적 측면을 더 깊이 다루는 곳이라고 했다. 난 우리나라에 독립출판을 가르치는 곳이 이리도 많다는 것과 그녀의 끝없는 열정에 탄복했다. 그녀는 반짝이는 눈으로 이 수업 후에는 반려견에 대해 전보다 적은 분량의 책을 출판할 거라며 내게도 쓰던 원고를 꼭 출판해 보라고 말했다. 수업은 대구에 있는 독립서점에서 5회에 걸쳐 진행되었다. 6명의 수강생 모두 자신의 쓸거리가 확실했다. 독립서점에는 손바닥만 한 책부터 대여섯 개의 그림으로 구성된 출판물까지 기존의 책이라는 고정관념에서 벗어난 다양한 서적이 있었다. 수업은 확실히 디자인에 초점을 맞췄는데 지난번처럼 내용은 본인 몫이고 인디자인 관련 수업이 중심이었다. 이곳은 표지뿐 아니라 속지도 인디자인을 사용해 집어넣도록 가르쳤다. 젊은 수강생들이 많아서, 내 책의 제목과 표지에 대한 의견을 들을 수 있었다. 이번에는 꼭 완성할 줄 알고 수업에 쓰이는 인디자인 프로그램도 큰맘 먹고 결제했다.

하지만, 결론부터 말하자면 나는 책을 완성하지 못했다. 10월 둘째 주 엄마와 엄마 친구를 모시고 이탈리아와 스위스로 3주간 자유 여행을 가기로 계획한 상태였다. 가이드, 총무, 숙박 모든 것을 담당해야 했기에 9월부터 여행 준비로 정신이 없었다. 엄마와 3주 여행을 끝내고 나서는 혼자 여행을 이어 나갈 생각이었다. 여행 날짜가 다가올수록 원고보다 여행 책자와 지도를 보며 계획 짜기에 바빴다. 결국, 여행 짐을 챙기면서 캐리어 구석에 퇴고를 덜 끝낸 원고 뭉치를 집어넣었다. 틈틈이 읽고 고치지 않을까 기대했지만, 실상은 여행 내내 짐 덩어리로 처박혀 있었다. 로마에서 코로나에 걸려 아씨시에서 죽을 고생을 했고, 이후에는 엄마와 이모의 칠순 추억 여행이 즐겁고 행복한 시간이 되도록 집중해야 했다. 혼자 여행할 때는 퇴고를 하겠지 생각했지만, 무료함이 극에 달해도, 이상하게 원고에 손이 가지는 않았다. 공항에서 한두 번은 꺼낸 것도 같지만 금세 흥미를 잃었다. 후배가 여행지에서 겪은 일들을 책으로 엮어 보라고도 한 것 같은데, 그리 마음이 동하지 않았다.

해피꿈북클럽 공저쓰기

12월 중순에 예정보다 일찍 집에 돌아왔다. 밀라노에서 떠날 즈음 독감을 옮았는지 집에 돌아와서 며칠간 코로나 때만큼 아파 고생했다. 학교에 복직원을 쓰고, 뒤숭숭한 마음으로 있는데, 12월 말에 해피꿈북클럽에서 공저 쓰는 것에 대한 공지가 떴다. 강사에 관한 글을 1인당 8쪽 정도 쓰면 된다고 했다. 처음 계획한 우리 가족 이야기는 아직 들여다볼 엄두가 나지 않았다. 쉬는 동안 독서와 책쓰기에 투자한 시간과 노력을 떠올리니 한 해를 그냥 보내기 아쉬웠다. 도서관에서 강사와 관련된 책을 구해 5권 정도 읽어봤다. 강사는 뜬금없는 주제였는데 책을 읽다 보니, 내가 하고픈 이야기가 수면 위로 조금씩 떠올랐다. 그렇다고 글쓰기가 즐거웠던 건 절대 아니다. 1월 20일경 세 번째 여행을 떠날 참이어서 서둘러 글을 제출했다. 해피꿈 시리즈는 원고만 제출하면 교수님이 교정과 피드백, 표지 디자인을 다 해주셔서 내가 크게 신경 쓸 게 없었다. 피드백을 받아 몇 차례 수정만 하면 되었다.

현실로 돌아와서

마지막 여행 짐을 쌀 때도 고민하다 퇴고를 덜 끝낸 원고 뭉치를 집어넣었다. 하지만 막상 시골의 이국적인 장엄한 풍경 아래에 놓이니 종이를 꺼내 활자를 보고 싶진 않았다. 완성하지 못할 것 같아 인디자인을 해지하려 했지만, 10만 원에 육박하는 수수료를 보니 망설여졌다. 한국에 돌아가면 개학 전에는 퇴고를 끝내지 않을까 하는 일말의 기대로 해지 계획을 철회했다. 하지만 막상 돌아와 보니, 낯선 학교, 새로운 업무, 장거리 출퇴근 등 현실은 호락호락하지 않았다. 나는 아이를 키우며 밤에 노트북을 켜고 글을 쓴다는 기혼 여성들이 존경스럽다. 나같이 속도가 느린 사람은 불가능한 일이다. '언젠가는 쓸 거야!' 하는 마음에, 헬스장에 돈을 내고 운동할 의지를 사는 것처럼, 인디자인 해지를 자꾸만 뒤로 미루었다. 그것마저 해지하면 영영 손에서 놓을 것 같았고 취소 수수료도 마음에 걸렸다. 하지만 3월이 4월이 되고 5월, 6월 시간이 흐를수록 원고는 기억 저편으로 사라졌다. 6월 말 일요일, 어느 모임에서 더는 어도비의 호구가 되어선 안 된다는 생각이 불현듯 스쳤다. 인디자인 취소를 결단하고 사이트에 들어와 보니 주말이라 상담원과 연결이 되지 않았다. 이틀 후가 결제일이었다. 급한 마음에 다음날 퇴근 직전 상담원을 통해 인디자인을 내 삶에서 떼어냈다. 친절하게도 상담원은 내게 추가 수수료를 물지 않았고 나는 10개월간 24만 원의 손해를 봤다. 잠깐 속상했지만, 해방감의 기쁨이 더 컸다. 며칠 후 평소 생각해 둔 지역 환경운동연합에 매달 만 원씩 기부하기로 등록했다. 외국 기업에 돈을 보내는 것보다는 가치 있는 일이라고 생각했다. 그리고 수시로 활동사진이 올라올 때마다 잘한 일이라고 생각했다.

책에 대한 가족의 피드백

올해 5월 대체공휴일에 동생 가족이 놀러 왔다. 갓 중학생이 된 조카와 이런저런 이야기를 하다 책상에 놓인 해피 꿈 공저 책이 화제에 올랐다. 이모가 쓴 글이 있다고 말하니 조카는 믿지 않는 눈치였다. 표지를 보더니 "아, 정말 이모 이름이 있네." 하고 놀라워하다 내 사진을 발견하고 쿡쿡 웃기 시작했다. 조카에게 읽고 피드백을 해줄 수 있는지 물어봤다. 옆에서 동생이 듣더니 한마디 했다.

"너가 읽고 생각을 말해 줘. 너가 처음이자 유일한 독자니까. 엄마는 안 읽어. 엄마는 그거 읽을 시간 없어."

조카가 손에 쥔 폰을 내려놓고 심각한 얼굴로 내 글을 보더니 정말 몇 가지를 집어냈다.

"이모 글에는 유머가 없어. 그리고 남들이 할 수 있다면 당신도 할 수 있는 게 아니라 노력하면 당신도 할 수 있는

- 80 -

거야. 각자 재능이 다르니까. 마지막으로 사진을 작게 넣어.”

'우와. 아이의 눈은 정확하구나.'

놀란 내 옆에서 동생이 한마디 거들며 방을 나갔다.

“언니, 다음에는 먼저 얘한테 피드백 받고 써.”

나도 모르게 정말 그래야겠다고 생각했다.

놀란 내 심정을 아는지 모르는지 조카는 심드렁한 표정으로 다시 스마트폰을 보기 시작했다.

책쓰기 도전은 추억

언젠가 후배가 말했다.

"샘, 내 책이 부산에서 2권이나 팔렸대요."

"내 책의 인세가 들어왔어요."

그녀가 목표한 바를 이뤘다는 데 진심으로 대단하다고 느꼈다. 그녀가 얼마나 재능 넘치는 사람인지, 그녀 삶에서 책이 어떤 의미인지를 알기에 다행이라고 생각했다. 부럽거나 조급함이 들지는 않는다. 덕분에 몰랐던 책쓰기의 세계를 진하게 경험했고, 그 세계가 그리 즐겁지 않다는 것을 알았다. 세상에 쉬운 일은 없으며 사소한 것에도 정성과 수고가 들어야 한다는 것을 온몸으로 절감했다. 물론 원고를 끝내면 좋았겠지만, 그건 작년이라는 과거의 시간과 공간에 갇혀 있다. 그리고 나는 바쁜 현재를 살고 있다.

계획한 만큼 성과를 거두지는 못했다. 글쓰기는 힘들었고 퇴고는 더 징글맞았다. 독립출판은 아직 이루지 못했다. 그럼에도 불구하고, 책쓰기는 내게 좋은 추억이다. 일이 아닌 무언가에 그토록 몰입하기란 흔치 않은 일이다. 그것으로 족하다.

무엇을 쓰든 짧게 써라

그러면 읽힐 것이다.

명료하게 써라

그러면 이해될 것이다.

그림 같이 써라

그러면 기억 속에 머물 것이다.

- 조지프 -

하루 15분 글쓰기 습관이 작가로 연결된다

울랄라 김미숙

고려대 영어교육 전공 석사

경인교대 인공지능 융합교육 전공 석사

現 배곧 해솔 중학교 수석교사

영어과 수석교사로 수업과 평가를 위한 교원역량 강화를 위해 애쓰고 있으며, 논술형평가, 전자책쓰기 및 훌라(Hula)에

주력하고 있음.

주요 저서로 '해피꿈 북클럽과 함께하는 100일간의 두드림 (DO DREAM) 날개를 펼치다' 외 여러 공저책이 있으며, 학생들과 함께 한 공저책, '어쩌다 수석교사', '울랄라의 성찰과 배움', '논술형 핵심교원으로 살아가기' 등 다수의 책을 씀.

이메일:kch64@korea.kr
블로그: https://blog.naver.com/ullalatv
유튜브: https://www.youtube.com/@ullalatv

기억을 넘어 기록으로

플랜 B로 실행력을 높여라.

우리의 기억은 휘발성으로 소멸되기 십상이다. 그래서 기억이 날 때 한 글자라도 적어두면 끄집어내기가 좋다. 필자가 글쓰기를 꾸준하게 할 수 있는 동기를 찾자면 두드림(DO DREAM) 책쓰기로 거슬러 올라간다. 아침 5시 30분부터 6시 30분까지 글쓰기 시간을 정해두고 하루에 조금씩 써서 올리고 공유하는 활동이다.

눈을 뜨자마자 컴퓨터를 켜고 자판을 두드리는 습관으로 글쓰기 시간을 만들고자 시작했다. 그렇지만, 아침에 눈을 뜬다는 것 자체가 무리였다. 그래서 줌(Zoom)을 켜지 않고 다른 활동을 하고 있다가 겨우겨우 다른 사람 하는 것 눈으로 보고 귀로 들으면서 스스로는 성실하게 하지 못했다.

아침에 자판기를 두드린다고 하면서 제대로 하지 않는다면 이도 저도 아무것도 하지 못할 것이라는 생각이 들었다. 그 무렵 선견지명 최선경 선생님의 '딱최따 프로그램' 안내가 있었다. '딱 최선경 선생님 1년만 따라 해봐!' 였는데 눈뜨자마자 글을 쓴다는 점에서 글쓰기라는 공통분모가 있었다. 그래서 이 프로그램도 등록하면서 플랜 A가 안 될 경우를 대비한 플랜B를 마련했다.

플랜B로 두 개의 장치를 마련하니까 실행력이 아주 강력해졌다. 그러다 보니 지금까지도 글쓰기 습관이 형성되어서 매일 글쓰기를 이어가고 있다. 기억은 휘발성이 강하므로 이를 묶어두는 방법은 기록밖에 없다. 그래서 글쓰기를 통해 기록을 넘어 장기 기억으로 두려는 노력을 하였다.

온라인 플랫폼으로 기록의 흔적을 남겨라.

기록으로 남겨 둘 글쓰기는 접근성이 좋아야 한다. 어디에서든 쓸 수 있고 수정할 수 있는 접근성이 좋은 플랫폼 사용을 권장한다. 필자가 선택한 것은 네이버 블로그라는 플랫폼이였다. 네이버 블로그는 2000년대 초반에 만들어두고 개인 용도로 사용한 것이 다였다. 그 후로는 휴면 상태로 지속이 되었다. 그런데 2021년 1월 김일 교수님께서 운영하시는 생따나비 독서모임을 만나서 '독서천재가 된 홍대리(이지성, 정회일 저)'라는 책으로 본·깨·적 독서법으로 보고, 깨닫고, 적용할 것을 블로그에 인증해서 올리고 일일 체크리스트를 작성했다. 책을 읽고 느낀 소감을 보고, 깨닫고, 적용하기인 본·깨·적 독서법으로 남기니 언제든 끄집어 볼 수 있다는 장점을 발견하였다.

온라인 플랫폼을 사용해서 글쓰기에 적용하면 좋겠다는 생각으로 매일 글 쓴 것을 네이버 블로그에 인증해서 올려왔다. 그러다 보니, 그런 내용을 모아서 하나의 책으로 발간할 수 있다는 장점을 알게 되었다. 처음에는 '나의 글을 사람들이 다 보면 어떡하지? 잘 쓴 글도 아니어서 창피한데 어떡하지? 내 글을 알아보는 사람이 있으면 어떡하지?'라는 생각으로 블로그의 글을 비공개로 설정해 둔 적도 많다. 하지만, 아무도 나의 글에 대해서 신경을 쓸 정도로 한가한 사람은 없었고, 실제로도 그랬다. 스스로에 대한 울타리를 쳐놓고 남만 의식하는 어리석은 행동이라는 것을 곧 깨달았다. 남들을 너무 의식하면서 '나의 글에 대해서 다른 사람들이 비판하거나 무시하면 어떡하지?'라고 괜한 걱정을 할 필요가 없다. 이런 시선들로부터 자유로워야 한다. 그래야 글을 자유롭게 꾸준하게 써갈 수 있다.

자신만의 기록을 블로그 같은 플랫폼에 차곡차곡 쓰다 보면 소중한 글감이 되고, 글쓰기에 대한 자신감도 가질 수 있다. 접근성이 쉬운 것을 사용해서 자신만의 기록에 대한 흔적을 남겨보라. 필자는 블로그를 선택했지만, 누구나 접근할 수 있는 플랫폼을 자유롭게 선택해서 쓰면 된다. 그것이 자신의 기록으로 한땀 한땀 과거의 흔적들을 남길 수 있는 초석이 된다. 자신만의 플랫폼을 통해 기록을 넘어 기억으로 남겨보길 바란다.

기존에는 머리를 믿었다면 이제는 손을 믿으려고 한다. 머릿속으로 대충해야 할 일들을 그림으로 그린 뒤 해야 할 일들을 실행해 나갔다. 하지만, 며칠이 지나고 나니 머릿속에 그린 그림들이 다 사라져 버린다. 하지만, 기록으로 남겨두면 어딘가에 그 흔적이 남아 있으므로 그 기록을 더듬어서 기억을 소환해 올 수 있다.

필자는 과거에 배낭여행을 다닐 때마다 일기를 쓴다. 평소에는 일기를 쓰지 않지만, 배낭여행을 다닐 때는 그날그날 인상적인 곳들을 기억하면서 기록으로 남겼다. 하지만, 그것도 문제가 생길 수 있다. 만약 기록으로 남긴 공책들이 다 사라진다면 어떻게 해야 할까? 또 글로 썼던 볼펜의 잉크가 휘발되어서 글씨가 날아가 버린다면? 하는 생각을 가졌다. 실제로 2002년 남아프리카 공화국에 배낭여행을 간 적이 있다. 간단히 메모 정도로 일기를 쓴 수첩을 들여다보았다. 거의 21년 전의 수첩이다. 지금 보니 글을 읽을 수가 없었다. 왜냐하면 볼펜으로 쓴 잉크가 바래고 날아가 버린 것이다.

이런 경험을 겪다 보니, 요즘 필자가 기록물을 보관할 방법으로 생각한 것이 온라인 플랫폼이다. 언제 어디서든지 플랫폼에 들어가서 끄집어낼 수 있는 접근성과 보관의 용이성 때문이다. 온라인 플랫폼도 소멸 가능성이 있겠지만, 필자가 경험한 것처럼 쓰여진 글자를 읽을 수 없게 되거나 공책을 간직하지 못하고 잊어버리는 것보다는 낫지 않은가?

에빙하우스의 망각곡선에 따르면 인간의 기억은 단 하루만에 70% 이상이 사라진다고 한다. 평범한 일상이라면 더욱더 그렇다. 기억의 소실을 방지하고 장기 기억으로 변환하기 위한 다양한 학습법들이 등장하고 있다. 예습과 복습을 하는 이유도 기억이 사라지는 것을 막는 방법으로 효과적이기 때문에 사용된다. 눈으로 그저 보고 지나가는 것 보다는 손과 머리로 기억하다 보면 자율신경계를 더 많이 사용하므로 자연스럽게 장기 기억으로 보관될 수 있다. 이는 기억을 기록으로 그리고 다시 장기 기억으로 남기는 선순환적 논리를 제공한다. 자신의 기억을 오랫동안 보관하고 싶은가? 그렇다면 당장 자판을 두드려서 온라인 플랫폼에 저장해 보길 추천한다.

하루 15분 글쓰기의 3단계

처음부터 글쓰기를 잘하는 사람이 어디에 있으랴! 하지만, 꾸준하게 계속하다 보면 글쓰기에 대한 두려움이 낮아지고 오히려 글을 씀으로써 힐링과 자유의 시간을 가지게 된다. 필자의 경우는 글을 쓰는데 목차 정하기, 하루 한 꼭지씩 글쓰기, 매일 글쓰기로 버티기의 3가지로 글쓰기를 이어간다.

첫 번째, 목차는 생각의 큰 흐름이고 줄기이다. 그래서 배가 산으로 가지 않도록 해주는 안전장치가 바로 목차이다.

두 번째, 목차가 정해지면 하루 한 꼭지씩 목차에 있는 주제로 글쓰기를 하라. 하루만 하면 안 된다. 만약 하루 한 꼭지씩 써야 하는데 글감이 떠오르지 않거나 시간상으로 부족하더라도 포기하지 말고 한 줄이라도 매일 이어가라. 그래야 지속될 수 있다.

셋째, 포기하지 않기 위해서는 매일 글쓰기로 버텨야 한다. 물론 하다가 잠깐 쉴 수는 있다. 하지만, 그 쉼으로부터 벗어나 다시 이어갈 수 있는 그릿(GRIT)이 있어야 한다. 그래야 글을 쓰다 영원히 멈추게 되는 사태를 막을 수 있다. 필자가 하루 15분 글쓰기를 위해서 적용한 3가지 단계를 조금 더 말해보겠다.

1단계: 목차부터 정하라.

글을 쓴다는 것은 자유로운 예술의 행위이다. 하지만, 이런 아티스틱 행위이더라도 규칙이 있어야 한다. 기본 뿌리를 중심으로 줄기를 세우고 이파리가 나올 수 있도록 하는 규칙을 마련해야 한다. 필자는 글을 쓸 때 목차부터 정하고 시작한다. 대략적으로 글을 쓸 큰 주제가 정해지면 세부적으로 목차를 3~4장 정도로 정한다. 이후 각 장에 맞는 소제목을 3~4개로 정한다.

지금 쓰고 있는 이 글도 '작가와 글쓰기에 대한 내용으로 공저책을 낸다'고 했을 때 그에 맞는 장과 소제목을 정하였다. 그런 다음 조금씩 쓴 것의 집합체가 지금 쓴 글이다. 매일 15분 글쓰기를 실행하고, 목차에 따라서 글을 써 내려간다.

처음에 목차 정하기를 했을지라도 글을 쓰다 보면 목차가 수정되기도 하고 박성옥 교수님처럼 멘토 역할을 해주시는 분이나 아는 지인들의 피드백을 받아서 수정작업이 또 이루어진다. 목차 정하기는 배를 타고 가는 항해의 나침반으로 비유할 수 있다. 나침반은 길을 잃지 않도록 방향성을 제시해 준다. 글을 쓰다 보면 삼천포로 빠져 다른 방향으로 가는 경우가 종종 있다. 하지만, 글의 목차를 계속 바라보면서 글의 중심을 잡아가면서 그쪽 방향으로 맞춰 써가야 한다. 그래야 글에 대한 일관성이 이루어져 원래 의도된 방향으로 나갈 수 있게 된다.

목차가 정해지고 나면 다음부터는 글쓰기가 한결 수월해진다. 어떤 내용으로 글쓰기를 할 것인지를 포함할 수 있는 목차 정하기, 이것이 먼저 이루어져야 다음 글쓰기가 잘 이어진다. 그만큼 목차는 중요한 요소이다. 그래서 책을 찾는 독자들은 먼저 목차를 훑어보고 이 책을 구입할지 말지를 결정하는 경우가 많다. 책을 쓰고자 한다면 목차부터 먼저 심혈을 기울여 정해보길 바란다.

2단계: 하루에 한 꼭지 글쓰기를 시도하라.

목차가 정해졌다면 다음에 할 일은 하루 한 꼭지씩 정해진 시간에 글쓰기를 시도해 보는 일이다. 하루 15분을 투자해서 자판을 두드려보라. 처음에는 뭘 써야 할지 모르겠지만, 일단 자판을 두드리기 시작하면 피아노 건반에서 피아노를 치듯이 글이 춤을 추게 될 것이다. 참고로 필자는 피아노를 잘 치지 못한다. 다만, 글쓰기가 피아노를 치는 사람처럼 점차로 잘 쓰인다는 것을 비유하고 싶었다. 목차로 주제를 정했으니, 그 주제가 목표 지점이라고 생각하고 그 목표를 향해서 생각나는 것들을 연결해서 풀어나가라. 가끔 글을 쓰다가 주제가 연결이 잘 안되어서 한 꼭지를 써야 하는데 안 써질 때도 있을 것이다. 그럴 때는 과감하게 건너뛰고 쓸 수 있을 만큼만 쓰라고 말하고 싶다.

다음날에 그 한 꼭지를 이어서 쓰면 된다. 그렇지만, 다음날도 한 꼭지에 대한 글감이 떠오르지 않는다면 필자는 과감하게 그 꼭지는 건너뛰고 다음 꼭지로 넘어간다. 그러다 보면 미완성된 꼭지를 나중에 더 채워 넣기도 하고, 아니면 그 꼭지를 아예 다른 주제로 바꿔서 교체하기도 한다. 글을 쓰는 주체가 '나'이기 때문에 내가 편하고 원하는 방식으로 글을 쓰길 바란다.

글감 연결이 안 된다고 하다가 멈추면 안 된다. 여기서 강조하고 싶은 것은 꾸준함이다. 설사 한 꼭지를 다 못 채 웠더라도 꾸준하게 조금이라도 이어가는 것이 중요하다.

그렇게 하루 한 꼭지씩 이어가다 보면 어느새 책 한 권 쓸 분량이 채워지게 됨을 볼 수 있다. 초보가 어떻게 처음 부터 만족할 만한 글이 나올 수 있을까? 그냥 하루 한 꼭지 정해두고 꾸준하게 이어가다 보면 조금씩 글솜씨도 늘고 분 량도 늘어간다. 그러니 하루 한 꼭지, 꾸준하게 이어서 글을 써가길 바란다.

3단계: 매일 글쓰기, 버티는 자가 이긴다.

목차를 잡고 하루 한 꼭지씩 꾸준하게 이어가는 것을 매 일 이어가라. 그래야 원하는 결과물을 얻을 수 있다. 매일 글을 쓰다 보면 끝이 보이고, 끝에 가서는 책 한 권을 완성 하여 손에 쥘 수가 있다.

거창하게 책을 쓴다고 하여 부담만 크게 가져가지 않길 바란다. 글을 쓴다는 것과 책을 쓴다는 것의 차이점은 무엇일까? 필자는 책쓰기 3단계가 아니라, 글쓰기 3단계라고 명명하였다. 왜냐하면, 처음부터 책쓰기라는 말을 하게 되면 글 쓰는 것조차 부담으로 다가오고 뭔가 결과물이 반드시 있어야 한다는 중압감으로 처음부터 포기할 가능성이 있다. 하지만, 글쓰기로 꾸준하게 쓰다 보면 어느새 글쓰기가 책쓰기로 바뀌고, 자신도 모르게 그 중압감으로부터 해방될 수 있는 자신을 발견하게 될 것이다.

그래서 여기까지 읽는 사람이라면 이제는 글쓰기라기보다는 책쓰기라는 말로 갈아타고 이야기를 해도 거부감이 덜할 거란 생각을 조심스럽게 가져본다. 우리는 누구나 책쓰기에 대한 로망이 있다. 언젠가는 내 이름이 들어간 책을 내고 싶다는 생각말이다. 하지만, 이것을 로망으로만 가지고 있고 생각만 하면 안 된다. 적극적인 액션이 필요하다. 그 액션이 바로 버티기 작전이다.

목차를 정하고 한 꼭지씩 써 내려가다가 어느 순간 지쳐서 그냥 쓰는 것을 중단한다면 어떻게 될까? 다시 시작하는 데 드는 에너지와 동력이 더 들게 된다. 그렇지만, 인간이다 보니 늘 같은 생각으로 꾸준하게 갈 수는 없을 것이다. 그래서 잠깐 멈춤을 하는 것은 괜찮다. 하지만, 이것이 영원한

멈춤으로 고정이 된다면 어떻게 될까? 책쓰기에 대한 로망은 실망으로 변하고 이는 다시 절망으로 바뀌면서 '그래, 그럼 그렇지, 난 할 수 없어.'라고 자책하게 된다. 매일 한 꼭지씩 쓰다가 잠깐 쉼도 필요하고 글감도 떠오르지 않아서 중단될 수도 있다. 하지만, 이 시기를 넘어서 다시 이어갈 수 있는 버티기가 필요하다.

  필자도 매일 글쓰기를 온전하게 지키지는 못한다. 개인적 이유로, 혹은 힘들고 지쳐서 등의 이유로 가끔 빠지기도 한다. 그렇지만, 뒤에 다시 에너지를 모아서 다시 채워가곤 한다. '힘들면 쉬어가도 돼, 하지만, 포기하지는 말자.'라고 하면서 꾸준함을 이어가려고 하고 있다. 자신의 방식으로 글을 오랫동안 이어가고자 한다면 꾸준함에 대한 강력한 마력을 믿어보길 바란다. 이렇게 3단계 글쓰기를 하다 보니 어느새 전자책 포털사이트인 유페이퍼에 책이 한 권씩 한 권씩 늘어갔다.

  생각의 끈을 놓지 말고 책쓰기를 하고 싶다면 자신만의 방법과 버티기 정신으로 글쓰기에 대한 자동화 습관을 만들어보길 추천한다. 필자가 제안하는 3단계 글쓰기로 가도 되고, 아니면 자신에게 어울리는 방법으로 이어가도 좋다. 단, 조건은 버티는 글쓰기를 고수하라는 것이다.

습관이 일궈낸 기적, 나도 작가

나는 작가다.

"15분 글쓰기로 작가가 될 수 있나요?"라고 누군가가 물어 온다면 필자의 대답은 "물론이죠."이다. 매일의 습관이 이루어 낸 기적이 '작가'라는 타이틀이다. 필자는 글쓰기, 책 읽기와는 거리가 먼 사람이었다. 학창 시절에는 책보다는 교과서와 문제집 위주의 것만 보아서인지 늘 국어라는 과목은 족쇄처럼 필자를 힘들게 하는 과목 중 하나였다. 그런데, 이런 필자가 '작가'라는 타이틀을 가졌다고 한다면 누가 믿겠는가? 이제는 주변에서 당연히 책을 자주 쓰는 '작가'라고 부르기도 한다. 그럴 때마다 스스로 '나는 영감을 불러일으키는 스승이자 작가가 되고 싶다.'라는 말로 주문을 건다.

학생들과 공저 쓰기를 하여 학생들도 자신의 이름으로 책이 나오도록 도와주는 역할을 하고 있다. 처음에는 블로그로 시작했으나, 이제는 책을 쓰고 전자책과 종이책으로 등록하는 일을 한다. 혼자보다는 같이 하는 것도 좋아서 학생들과 함께 책을 공저로 쓰기도 한다. 벌써 학생들과 4권의 책을 발행했다. 처음에 조금씩 글을 쓰기 시작하자, 마치 스위치를 켜자 불이 켜지고 에너지가 돌듯이 자연스럽게 글이 써지기 시작했다. 학생들과 이왕 하는 거, 기록으로 남기면 어떨까? 하고 처음에는 문집 형태로 책을 냈다. 하지만, 시작이 반이다. 처음 시작한 문집은 1년 후에는 작은 책으로 출간을 하게 되었다. 그리고 2년 후 상반기와 하반기를 포함한 두 권의 책을 출간하게 되었다. 이렇게 해서 조금씩 꿈이 조정되고 다른 목표가 생기게 되었다. 즉, 책을 읽고 글을 쓰다 보니 세상 밖으로 우리의 목소리를 높이고 싶다는 다른 목표가 생긴 것이다. 그렇게 쓰다 보니 한 권, 한 권 쌓여 벌써 네 권의 스토리가 만들어졌다. 그러면서 교사와 학생이 함께 작가라는 타이틀을 가질 수 있었다.

이제는 조금씩 그 범위를 확대하고 싶은 생각이 든다. 옆에 사람들도 함께 책을 낼 수 있도록 안내하고 도와주고 싶다는 생각을 가지고 또 다른 목표를 향해 한 걸음씩 발걸음을 옮기고 있다. 이 글을 쓰는 지금도 '나는 다른 사람을 작가로 세우도록 영감을 불러일으켜 주는 위대한 작가다.'라고 외치고 있다. 15분 글쓰기의 작은 습관이 이루어 낸 기적이 바로 '나도 작가, 당신도 작가'라는 희망을 제공해 주었다.

영어교사와 작가로 살아가기

　필자의 본 직업은 영어교사이다. 1998년도 교사로 시작하여 2023년 현재는 수석교사가 되어 학생들과 매일 만나는 영어교사이다. 2021년부터 본격적으로 블로그를 쓰기 시작하였고 해피꿈북클럽 프로그램을 통해 책을 읽고, 강의하고, 책쓰기를 통해 왕성한 활동을 하고 있다. 해피꿈북클럽에서 시리즈로 공저책을 내면서 단독 저서를 내고 싶다는 생각을 가졌다. 그래서 매일 15분 글쓰기를 하면서 여러 권의 책을 출간하게 되었다. 그러다 보니 자연스럽게 작가가 되었다.

　교사들도 책을 많이 내긴 하나, 작가를 하기 위해서 교사를 포기한 경우는 그리 많진 않은 시절이 있었다. 과거에 같은 부서의 부장님께서는 소설작가였다. 글을 쓰다 보니 시간이 부족하다고 느껴서 교직을 떠나 아예 '작가의 길'을 걸으셨었다. 그때 당시는 그분이 너무 위대한 일을 하고 계시다고 생각을 하면서 부러움만 한가득하였다. 그런데, 현재 자신의 위치가 교사와 작가의 길을 병행하고 있는 모습을 보니, 신기하기도 하고 뿌듯하기도 하다. 하지만, 두 가지를 병행하는 일을 할 수 있을까? 라는 의문은 늘 가지고 있었다. 그에 대해서 백만장자 시크릿에서는 희망을 주는 메시지를 필자에게 주었다.

'백만장자 시크릿(하브 에커')에서 억만장자의 마인드를 각인시킬 수 있는 17가지 시크릿이 나온다. 그 가운데 12번째에서 억만장자 마인드로 '둘 다 가질 수 있다.'라는 말이 필자에게 '할 수 있어. 두 개 다 가질 수 있어.'라는 희망을 주었다. 책에서는 두 가지 상황에서도 조금만 머리를 쓰면 양쪽 다 가지는 방법이 있다고 한다. 그래서 필자도 부자 마인드를 따라서 영어교사와 작가라는 두 가지를 다 가져가야겠다고 다짐했다. 둘이 상충하는 것이 아니라, 윤활유처럼 각 영역이 조화와 균형을 가질 수 있도록 역동적으로 연계되어서 굴러가는 두 개의 바퀴 역할을 하도록 노력해야겠다.

영어교사 혹은 작가로서의 삶이 '구슬이 서말이라도 꿰어야 보배다'라는 말처럼 구슬이라는 소재를 엮고 꿰매어 보배로 만들고 싶다. 이것도 하루아침에 '짠'하고 나온 것이 아니라 하루에 15분씩이라는 작고 꾸준함의 기적으로 만들 수 있을 것이다. 그래서 묵묵히 글을 써가는 영어교사이자 작가의 길을 현재도 걷고 있다.

기적은 스스로 돕는자를 돕는다.

기적은 저절로 일어나는 일이 아니다. 그동안의 쌓인 축적의 과정이 갑자기 팽창해서 '짜~잔!'하고 나타나는 것이 기적이다. 자신도 모르는 사이에 그동안 해왔던 것이 자동화되고 그것이 모여서 발생하는 것이다. 필자의 경우는 다행히 학습곡선이나 감정 곡선이 업, 다운하면서 심한 굴곡이 일어나지 않는다. 은은하면서도 꾸준함의 묘미를 잘 맞춰가려고 노력한다.

중학교와 고등학교 학창 시절을 떠올려 보면 그때 머리가 좋은 학생이 아닌 철저한 '노력형'의 학생이었다. 고등학교 생물 시간에 선생님께서는 학습한 내용을 정리하시고 우리에게 그 자리에서 암기하도록 하고 암기했는지를 즉시 그 자리에서 확인하셨다. 당시 느린 학습자로 반복 학습을 주로 하는 학생이었기에 당연히 가장 못 외우는 학생들 무리에 끼어 있었다. 그래서 스스로 다짐을 했다. '다른 학생들이 한 번 할 때 나는 여러 번 반복해야 그 수준을 맞춰갈 수 있구나.'라고 다짐하고 여러 번 반복하면서 그 속도를 따라가려고 애썼다.

그 습관이 지금도 자리를 잡아서 한번이 아닌 여러 번의 연습을 해야 다른 사람과 말맞춰 나갈 수 있다는 생각을 늘 가지도록 했다. 그러다 보니 속도가 생기고, 페이스 조절이 되어 다른 사람이 보기에는 빠른 학습자로 보일 때도 있었다. 그래서 주변에서 "와우, 정말 빠르시네요. 왜 이렇게 빨리 학습해요."라고 말하는 것을 듣기도 했다. 이 말을 들을 때마다 과거의 느린 학습경험, 암기 경험으로 몇 번이고 반복했었노라고 속으로 말하곤 했었다.

노력 없이 기적은 일어날 수 없다. 어쩌다 운으로 한두 번은 발생할 수 있다. 하지만, 지속적인 운이란 없다. 기적은 스스로 갈고닦은 노력과 경험의 결과물이라고 볼 수 있다. 글쓰기 과정을 거쳐 작가가 되는 과정도 마찬가지이다. 하루아침에 '뚝딱!' 하고 나오는 것이 아니다. 숙련과정을 거치고 피땀 어린 노력의 결과물이다. 공짜 선물이란 없다고 보면 된다. 누군가 공짜로 선물을 주었다고 좋아하지 말라. 그 공짜 선물은 그냥 가치 없이 버려질 경우가 많이 발생한다. 자신의 노력으로 일구어낸 선물, 보상이 가치가 있고 오래간다.

하루 15분의 글쓰기가 이루어 낸 기적이 작가로 연결된 것은

스스로 자신에게 물주고 비료 주고 양분을 주면서 얻어낸 결과
치이다. 따라서 기적은 스스로 돕는 자를 돕는다. 자신의 뿌리
를 깊고 넓게 파서 탄탄한 기둥 세우기에 전념하라. 스스로를
보살피고, 양분을 주면서 기적을 만들어가라. 절대 하루아침에
이루어지지 않는다. 서두르지도, 멈추지도 말되, 꾸준함으로 이
어가길 바란다.

글을 쓰기 전에는
항상 내 앞에 마주 앉은 누구에게
이야기를 해주는 것이라고
상상해라.
그 사람이 지루해
자리를 뜨지 않도록
설명해라

- 제임스 패터슨 -

나는 평생 글쓰기를 하는 사람이고 싶다

배선숙

나눔 플랫폼 대표 다올 메신저, 보라마을에서 보라호떡 굽는 아줌마, 독서, 배우기, 글쓰기, 책쓰기가 취미인 여자, 인공 AI로 그림책 만드는 작가, 글쓰기와 책쓰기로 작가의 꿈을 이룬 사람, 널리 사람을 이롭게 하고 싶은 홍익인간

저서: 독서법으로 삶을 리드하라. 강사의 시대, 강의로 아웃풋 하라. 30센티 병렬독서법. 세 여자의 디카시

읽다 보니 쓰게 되더라

"글을 쓴다는 것은 고통에 품위를 부여해 주는 일이다."
《쓰기의 말들》에 나오는 대목이다. 책을 읽는 것, 글을 쓰는
것은 "읽어야지. 읽어야지.", "써야지. 써야지." 하는 동안은
고통이다. 하지만 막상 책을 펼쳐 읽고, 펜을 잡고 노트북을
열고 자판을 두드리는 순간부터 '고통'은 사라지고 '품위'가
생겨난다. 마음만 먹는다면 그리 어려운 일도 아니란 말이
다. 그저 쓰면 되는 일인데 왜 매번 미루게 될까? 나는 오
늘 그 '미룸'을 한쪽으로 밀어 두고 다시 톡톡톡 자판을 두
들긴다.

《달과 6펜스》에 이런 대목이 나온다. "사람은 영혼의 안정
을 구하기 위해 매일 자기가 좋아하지 않는 일을 두 가지씩
하는 게 좋다."라고 말이다. 물론 글을 쓰는 것이 좋아하지

않는 일을 하는 것은 아니다. 오히려 좋아하는 일이다. 하지만 종종 쓰기 싫을 때도 있다. 영혼의 안정을 위해 나는 오늘도 글을 쓴다. 또 "작가란 창작의 기쁨과 가슴 속의 울적한 생각을 토로하는 일을 그 보수로 여길 뿐 그 밖의 일에는 무관심하여 칭찬받든 비난받든 성공하든 실패하든 전혀 개의치 않는다는 사실이다."라고 말하고 있다. 하루에도 수만권의 책이 나오고 폐기처분 된다. 독자가 보기에 아무리 허접한 책이라도 작가는 글을 쓰는 동안은 최선을 다한다. 많은 유혹과 고통을 이겨내고 한 권의 책을 세상에 내보낸다. 하지만 작가는 또한 그런 고통을 이겨내는 사람이기도 하다.

나는 '직업 부자'라고 해도 과장이 아닐 만큼 살면서 많은 직업을 거쳤다. 학습지 교사, 어린이집 교사, 학교 급식실 조리원, 식당 주인. 찬모, 식당 종업원, 모텔 청소, '노가다'라고 불리는 막노동, 보온 시공일, 그리고 지금 운영하는 푸드트럭까지 다 헤아릴 수도 없다. 어떤 일들은 오랫동안 꾸준히 했다. 또 어떤 일은 얼마 못하고 그만두기도 했다. 그 많은 직업을 경험하면서 나는 내 자신에게 그럴싸한 핑계를 늘 대곤 했다. '나는 작가가 될 사람이라서 최대한 많은 경험을 하는 게 좋아. 내가 경험한 많은 것들은 다 나중에 글을 쓸 때 소재가 되고 도움이 될 거야. 작가란 모름지기 경험을 많이 해야지.'라고 말이다. 결국 나는 2023년에 책을 내고 작가라는 직업을 하나 더 얻게 되었다. 글쓰기는 자판을 두드릴 힘만 있다면 계속해 나갈 것이다. 내가 가장 오래 직업으로 가지게 될 작가라는 직업. 그만큼 글쓰기에는 특별한 매력이 있다. 그렇다면 어떻게 글을 써야 할까? 글쓰기에는 몇 가지의 철칙(鐵則)이 있다

첫째, 많이 읽어야 잘 쓸 수 있다.

책을 많이 읽어도 글을 잘 쓰지 못할 수는 있다. 그러나 많이 읽지 않고 잘 쓰는 것은 불가능하다. 책을 많이 읽다 보면 자연스레 글이 쓰고 싶어진다. 그렇게 글을 쓰다 보면 책을 써볼 엄두가 난다. 많은 작가가 그랬다. 어떤 작가는 이렇게 표현했다. "글을 쓰기 위해 읽는다."

나는 학창 시절부터 작가의 꿈을 키워 왔다. 그 꿈의 시작은 학창 시절 좋아했던 성당 주일학교 선생님이다. 선생님이 작가의 꿈을 키우며 등단을 준비하고 있다는 사실을 알게 된 이후부터다. 내가 좋아하는 사람이랑 같은 길을 가는 것 그것이 사랑이라고 생각했다. 학창 시절에도 제법 책을 읽었다.

어머니의 영향이 컸다. 지금 73세인 어머니는 여전히 독서에 진심이시다. 학창 시절 제일 좋아하는 과목이 국어였다. 내가 국민 학생이던 사십 년 전에는 방학 중 하루 학교에 가서 교과서를 받아오거나 방학하는 날 책을 주곤 했다. 그 시절에는 책이 지금보다는 귀하던 시절이었다. 교과서를 받아온 날은 교과서를 방안에 널려놓고 읽었다. 물론 제일 먼저 읽는 책은 국어 교과서였다. 책을 그렇게 읽은 뒤엔 달력 종이로 교과서를 쌌다. 요즘은 교과서를 종이로 싸는 일은 좀처럼 보기 힘들다. 그때는 그랬다. 달력 종이로 책을 싸거나 문방구에서 책 커버를 사서 책에 씌웠다.

좋은 글을 쓰는 사람이 되고 싶다면 우선 좋은 책을 많이 읽어야 한다. 좋은 책의 정의를 내리기는 어렵지만 개인적으로 읽었을 때 감동이 오는 문학 서적, 자신의 삶을 어떻게 펼쳐나가야겠다는 결심이 서는 자기 계발 서적, 나라는 사람과 타인의 관계를 잘 유지하게 해주는 심리학책 등 다양하게 읽는 것이 좋다. 그렇게 책을 읽다 보면 소설을 쓰고 싶은지, 에세이를 쓰고 싶은지, 자기계발서를 쓰고 싶은지 알게 된다. '알게 된다'라고 표현했지만 나는 자주 마음이 바뀌었다. 그렇다고 그것이 잘못은 아니다.

책을 읽다 보면 유달리 관심이 가는 분야의 책이 있다. 나는 잠재의식에 관한 책에 관심이 많이 갔다, 그러다 보니 잠재의식에 관한 책들을 계속 찾아서 읽게 되었다. 조셉 머피의 《커피 한 잔의 명상으로 10억을 번 사람들》, 린다 번의 《시크릿》, 이지성의 《꿈꾸는 다락방》, 조셉 머피의 《끌어당김의 법칙》, 루이스 헤이의 《긍정 확언》, 고이케 히로시의 《2억 빚을 진 내게 우주 신이 알려준 운이 풀리는 말버릇》 등의 책을 통해 배운 '끌어당김의 법칙', '말하는 대로 생각하는 대로 이루어지는 우주의 법칙','생생하게 상상하기', '긍정 확언' 등을 실천하면서 조금씩 달라지는 나의 모습을 확인할 수 있었다. 그러다 보니 자연스레 주위 사람들에게도 자주 잠재의식에 관한 이야기를 하게 된다.

내가 읽어서 좋았던 것을 나눈다는 것은 참 보람된 일이다. 처음엔 시큰둥했던 사람들도 관심을 보이고 실천하며 조금씩 달라지는 모습을 보는 것은 정말 기분 좋은 일이다.

둘째, 많이 쓸수록 더 잘 쓰게 된다.
운동을 잘하려면 근육이 있어야 하듯 글쓰기에도 글쓰기 근육이 있어야 쓴다. 운동선수가 매일 근력운동을 통해 체력을 올리듯이 글쓰기 근육을 만드는 유일한 방법은 매일 쓰는 것이다. 여기에 예외는 없다. 그래서 ` 철칙 ` 이다. 매일 한 줄씩 쓴다는 것이 쉬울까? 한 줄이라는 것에 쉽게 생각할 수도 있지만 '매일'이 함정이다. 운동도 매일 꾸준히 해야 근육이 붙고 실력이 향상되는 것처럼 글쓰기도 그렇다.

손흥민의 아버지인 손웅정의 책《모든 것은 기본에서 시작된다》에서 그는 운동을 시작해서 그만두는 날까지 하루도 연습 운동을 하지 않은 날이 없다고 했다. 하루 운동을 쉬면 쉰 날만큼만 뒤처지는 것이 아니라 며칠 전으로 돌아간다. 글을 쓰는 것도 마찬가지다. 매일 운동을 하듯 글을 써야 한다. 이렇게 주장하는 나조차도 실은 매일 글쓰기를 못하고 있다. 늘 다짐하고 며칠 실천하다 또 제자리로 돌아가기가 다반사이다. 그래도 포기하지 않고 쓰고 또 쓴다. 다짐하고 다짐한다. 매일 글을 쓰겠노라고 말이다.

좋은 책들을 읽고 좋은 글을 쓰는 것은 인생의 큰 기쁨이다. 독서와 글쓰기는 콩나물을 키우는 것과 같다고 생각한다. 구멍이 큰 시루에 물을 부으면 물이 구멍으로 다 빠져나가는 것처럼 보인다. 하지만 날마다 물을 주는 것만으로도 콩은 콩나물이 되어 식탁의 반찬이 되어 소명을 다한다.

어려서 콩나물을 키워 먹었다. 부뚜막 한쪽에 넉넉한 대야를 놓고 받침대 위에 불린 콩을 넣은 시루를 올리고 검은 봉지나 천으로 덮어놓았다. 물은 하루에도 여러 번 주어야 했다. 어머니가 외출하실 땐 콩나물에 물 주는 것을 잊지 말라고 당부하셨다. 그저 바가지에 물을 떠서 끼얹기만 했을 뿐인데 콩나물은 조금씩 조금씩 자랐다. 물을 충분히 주지 않고 키운 콩나물은 대가 가늘고 잔뿌리들이 많다. 물을 충분히 받고 자란 콩나물은 대가 통통하고 잔뿌리도 없다. 그리고 반드시 검은 보자기나 비닐을 덮어야 한다, 검은 천으로 덮어놓지 않으면 콩의 떡잎이 광합성을 해서 초록색이 되고 만다. 콩나물 대가리는 노란색이어야 제맛이다.

책을 읽고 글을 쓴다는 것은 콩나물을 키우는 것과 같다. 매일 물을 주듯 매일 책을 읽고 글을 쓸 때 성장하는 것이다. 책을 그저 취미로 읽을 땐 몰랐다. 목마름이 없었다. 하지만 본격적으로 책을 읽기 시작하면서 읽을수록 갈증을 느끼게 되었다. 책을 읽지 않는 날에는 살짝 불안하기도 했다. 책을 멀리하면 왠지 무식해지는 것 같고 연료를 공급받지 못해 멈춰버린 차 같은 느낌이 들었다. 그래서 더 독서를 열심히 하게 된다.

글쓰기도 마찬가지다. 매일 한 줄, 한 문단씩 쓰다 보면 어느덧 한 장을 채우고 몇 장의 글이 써졌다. 열심히 매일 글을 쓸 때는 노트북만 켜도 쓸 것이 많았다. 아니 오히려 무엇을 써야 할지 골라서 써야 할지 행복한 고민에 빠지게 된다.

초보자들이 글쓰기를 할 때 가장 힘든 것이 무엇을 써야 할지 모르겠다는 것이다. 즉 "글감"을 못 찾는 것이다. 그런데 신기하게도 글을 자꾸 쓸수록 쓸 것이 많아진다. 마치 화수분처럼, 깊은 우물처럼 퍼서 쓸수록 더 많은 글감이 나온다. 당신이 아직 글쓰기 초보자라면 이 말에 동감하지 못할 것이다. 하지만 글을 제법 써본 사람이라면 무슨 말인지 이해가 될 것이다.

글을 쓰다 보면 일상의 작은 하나하나도 허투루 보이지 않는다. 무엇을 써야 할지 몰라 깜빡이는 커서를 볼 때와는 다르게 너무 쓸 것이 많아 행복한 비명을 질러야 할 지경이 된다. 믿기지 않을 수도 있겠지만 실행해보면 알게 된다. 그러니 일단 쓰자. 글이 되든 안 되든 누가 읽어주지도 않을 것 같은 부끄러운 글이라도 쓰자. 그래야 다음 장을 쓸 수 있고 세 번째, 네 번째 장을 쓸 수 있다.

아무리 쓰레기 같은 글, 혹은 책이라도 처음이 있어야 다음이 있는 법이다. 그러니 부디 매일 글을 쓰기를 권한다. 당신과 독서와 글쓰기의 기쁨을 함께 나누고 싶다.

셋째, '내 이야기가 무슨 책거리가 되겠어?'라는 생각을 버려라.

한 사람의 글쓰기는 세상을 변화시킬 수 있는 중요한 도구이다. 글쓰기는 생각을 표현하고 공유하는 방법이며, 내가 쓴 글은 다른 사람들에게 영향을 미칠 수 있다. 글쓰기를 통해 우리는 생각을 구체화하고, 메시지를 전달하며 세상을 변화시킬 수 있다.

처음 책쓰기를 할 때 초보 작가들이 공통으로 하는 말이 있다. "내 이야기가 무슨 책거리가 되었어?" 하지만 작가가 아닌 독자의 처지에서 생각해보자. 독자인 당신이 읽은 책들이 모두 어떤 특별하고 기발한 이야기였는가? 아니 오히려 그지없이 평범한 이야기인 경우가 많았을 것이다. 우리의 평범한 삶과 동떨어진 이야기는 오히려 동감을 불러일으키기가 어렵다.

내 삶이 어렵고 고통스러웠을수록 글을 써야 한다. 글을 쓰는 동안 내 삶이 정리된다. 독자 중에는 자신보다 더 어려운 상황에서 이겨낸 나의 글을 보고 다시 힘내 살아갈 용기를 얻는 사람도 있을 것이다. 마치 내가 그랬던 것처럼 말이다.

글쓰기는 세상을 바꿀 수 있는 중요한 도구 중 하나이다. 이것은 매우 중요한 사실이다. 나의 글을 통해 세상을 조금은 바꿀 수 있다. 내 글이 변화를 끌어낼 수 있다고 자부하고 스스로에게 동기부여를 하며 꾸준히 글을 쓰자.

글쓰기라는 표현의 자유를 통해 우리는 다른 사람들과 연결되고 공감을 끌어낼 수 있다. 글을 통해 자기 경험을 나누고 이야기를 전달할 때, 다른 사람들은 우리의 이야기를 통해 공감하고 이해할 수 있다. 우리는 사회적인 문제에 관해 대화하고 논의할 수 있다. 갈등이나 불평등에 대한 의식을 공유하고, 사회적 변화를 끌어내는 데 도움을 줄 수 있다. 글을 통해 어떤 주제든 다룰 수 있으며, 다양한 의견과 관점을 표출할 수 있다. 이것 또한 작가의 의무이다.

나는 책을 읽으면서 나의 삶에 스스로 응원을 보내기도 하고 반성하기도 한다. 누구한테 영향을 받았거나 배우지 않앉지만, 나만의 방법으로 해왔던 생각이나 행동들이 책 속의 글을 통해 응원받을 때 나는 무척 기쁘다. '내가 잘하고 있었구나.' 하고 스스로가 대견해지고 셀프 칭찬을 한다. 또한 반대로 나의 잘못된 태도를 반성하고 바꿀 기회를 주는 것도 책이다.

잘난 사람만 책을 내고 많이 배운 사람만 글을 써야 하는 것은 아니다. 나도 당신도 글을 쓰고 책을 낼 수 있다. 이것은 진실이다. 자기 생각과 감정을 글로 표현하면서, 자아를 탐색하고 이해할 수 있다. 우리는 자신의 정체성을 탐색하고, 자신의 목소리와 가치를 찾아낼 수 있다. 나의 모든 것은 글이 될 수 있다는 자신감을 가져라.

넷째. 글쓰기를 위해서는 시간과 공간의 관리가 매우 중요하다.

꾸준한 글을 쓰기 위해서는 일정한 시간을 할애하여 매일 일관된 글쓰기 습관을 만들면 효율적으로 글을 쓸 수 있다. 글쓰기에 집중할 수 있는 조용하고 편안한 공간을 마련하여 시간을 효과적으로 활용하면 좋다. 그럼 어떤 방법들이 있을까?

(1) 생산성을 높이기 위한 시간 관리 방법

생산성을 높이기 위해서는 우선순위를 정하고 작업을 계획하는 것이 중요하다. 예를 들어, 글쓰기에 가장 집중력이 높은 시간대를 선택하고, 작업을 작은 단위로 쪼개어 진행한다. 이 방법으로 목표를 달성할 수 있다. 또한, 일정한 휴식 시간을 가지고 스트레스를 해소해야 한다. 도끼를 갈지 않고 계속 나무를 베는 어리석음은 생산성을 저해하는 요소이다. 짬짬이 휴식을 취하면서 글을 쓰는 것 또한 중요하다는 것을 잊지 말자.

(2) 글쓰기에 집중하기 위한 공간을 마련한다.

글쓰기에 집중하기 위해서는 주변의 분산 요소들을 최소화해야 한다. 가장 먼저 할 일은 모바일 기기나 소셜 미디어 알림을 꺼두고, 정해진 시간 동안은 정신이 분산되지 않도록 해야 한다. 집중력을 높일 수 있는 환경을 조성하기 위해 조용하고 청결한 공간에서 작업하는 것이 필요하다. 전업 작가들의 경우에 일부러 작업실을 마련하고 직장인이 출근하는 것처럼 일정한 시간에 출근하여 글을 쓰고 퇴근하는 작가들이 많다.

아무래도 집안은 글쓰기에 집중하기에 최적의 공간은 아

니다. 그렇다고 해서 반드시 작업실이 있어야 글을 쓸 수 있는 것은 아니다. 작업실이 아니어도 내가 편안하게 집중할 수 있는 공간이면 된다. 그곳은 부엌의 식탁 위가 될 수도 있고 햇살이 잘 드는 베란다의 한 공간일 수도 있다.

영 집안에서 글이 안 써진다면 약간의 비용을 지불하고 편안한 카페의 한 모퉁이에서 글을 쓸 수도 있다. 공간 쉐어를 해주는 스터디 카페나 작은 사무실을 시간제로 대여받는 방법도 있다. 사람에 따라선 너무 조용한 공간보다는 약간의 소음이나 백색 소음이 오히려 도움이 되는 사람도 있다. 실제로 내가 아는 한 분은 매일 노트북을 들고 산으로 가 한적한 바위 위에서 글을 쓰는 분도 있다. 모 작가는 교도소 안에서 엎드려 글을 썼다고 한다.

앞의 글에 모순이 되지만 정말 꼭 쓰고자 하는 마음만 있다면 사실 시간과 공간은 그저 핑계에 지나지 않을 수도 있다. 어쩌면 정작 중요한 것은 시간도 장소도 아닌 글을 쓰겠다는 마음이 아닐까?. 시간과 장소가 중요하다 했지만, 어떤 장소, 어느 시간도 글쓰기에 좋은 장소고 시간이다. 시간과 장소를 탓하지 않고 매일 쓰는 것, 그것이 가장 중요하다.

다섯째, 끊임없이 관찰하고 기록하라.

글쓰기를 위해서는 세상을 관찰자의 눈으로 대해야 한다. 내 주위의 모든 것들은 다 글쓰기의 소재가 된다. 친구와 차를 마시며 주고받은 이야기가 글의 소재가 된다. 친구를 만나러 가는 길에 본 모든 풍경과 현상도 글의 소재이다. 세상에 관심을 가진다. 특히 평범하지 않은 것들을 기록해본다. 조금 특이했던 경험들. 이상하고 비상식적인 것들은 꼭 메모하는 습관을 지녀라.

'사람 사는 거 다 거기서 거기지.'라는 말이 있지만 틀렸다. 다 다르다. 그와 내가 먹은 아침밥의 메뉴가 다르고, 출근길에 이용한 교통수단이 다른 것처럼 다 같지 않다.

자연현상을 끊임없이 관찰하라. 변화무쌍한 자연현상처럼 글쓰기의 좋은 소재도 없다. 어제 본 길가의 가로수, 담벼락 너머로 핀 장미꽃 한 송이도 어제와 같지 않다. 그 다름을 찾아내고 글로 옮기는 것이 작가의 일이다. 해와 달이 뜨고 지고 비가 내리고 우박이 쏟아지는 것이 하늘의 일이라면 끊임없이 관찰하고 글로 써내는 것은 작가의 일이다.

관찰을 기록하고 감정을 기록하는 것들은 글쓰기의 훌륭

한 소재가 된다. 자꾸 들여다보면 좀 더 자세히 알고 싶고, 보고 싶어진다. 기록의 페이지가 쌓이면 더 좋은 글을 쓰게 된다. 머리를 믿지 말자. 영수증의 내용이 시간이 지나 다 지워지고 하얗게 백지가 된 것을 본 적이 있다. 우리가 보고 들은 것도 마찬가지다. 기억은 시간 속에 흐려지고 지워진 영수증같이 믿을만한 것이 못 된다. 메모하는 습관은 글을 쓰는 사람에게는 꼭 필요한 덕목이다. 영감이 떠오를 때, 좋은 글을 봤을 때 반드시 기록하자.

여섯째. 초보 작가라면 글쓰기 동호회에 가입해본다.
서두에 밝힌 바와 같이 매일 꾸준히 글을 쓴다는 것은 결코 만만한 일이 아니다. 특히 초보 작가라면 더더욱 그렇다. 이 시기엔 글쓰기 동호회 회원이 되는 것도 좋은 방법이다. 혼자서 글을 쓰다 보면 꾸준히 쓰기 어려울 때도 있고, 내 글이 산으로 가는지 바다로 가는지 모를 수 있다. 그때 글을 지도해주는 분이나, 같이 글을 쓰는 사람들에게서 피드백을 받는 것은 매우 좋은 방법이다.

물론 쑥스럽고 창피한 마음이 들 수 있다. 하지만 그 마음으로 계속 글을 쓰거나 책을 내는 것보다 잘못된 것은 서로 도와 가며 고치는 것이 훨씬 좋다. 흔히 경험하는 것 중에 내가 쓴 글은 두세 번을 읽어도 보이지 않던 오자들이 타인의 눈에는 금방 보이기도 한다. 나만 글을 잘 못 쓰는 것 같은데 모임을 하다 보면 나와 비슷한 실력인 사람도 만나 위안을 받을 수도 있다. 또 글을 잘 쓴 작가를 보며 나도 글을 잘 쓰고 싶다는 동기부여를 받을 수도 있다.

글쓰기는 나를 늙지 않게 한다

글쓰기는 자아 탐색과 성장을 이끄는 최고의 행동이다. 글쓰기를 통해 자신을 파악하고 이해할 수 있다. 우리는 누구이며, 어떤 가치를 가졌는지, 무엇을 원하는지 등을 탐색하고 발견하게 된다. 이러한 과정은 자신을 더 잘 이해하게 한다. 자신의 장단점을 파악하며, 자신의 삶을 더 의미 있게 만드는 데 도움을 준다.

성장은 자아 탐색과 밀접한 관련이 있다. 자아 탐색을 통해 자신의 장단점을 파악하고, 더 나은 방향으로 나아갈 수 있다. 살면서 누구나 어려움과 실패를 경험하게 된다. 이를 극복하고 자신을 탐색할 때 성장의 기회가 온다.

자신을 성장시키는 글쓰기는 어떻게 해야 할까? 방법은

내면의 목소리에 귀 기울이기이다. 자기 내면을 소리를 들을 수 있도록 연습이 필요하다. 제 생각과 감정을 자주 체크하고, 자신이 어떤 것을 원하는지에 대해 진지하게 고민해보는 것이 필요하다. 이런 과정을 가장 잘 끌어내는 것이 글쓰기이다.

글쓰기는 마음이 풀리고 생각이 정리되는 마법 같은 힐링의 시간이다. 나를 위한 소중한 자기 선물이다. 화가 몹시 났을 때 글을 써본 적이 있는 사람은 안다. 쓰면서 내면의 감정들을 글로 배출하면 어느새 마음의 안정을 얻게 된다는 것을. 음식을 잘못 먹고 체하여 속이 답답하고 더부룩할 때 건강에는 해롭겠지만 시원하게 게워내고 나면 속이 안정되는 것과 같다.

나의 속마음을 솔직하고 자유롭게 표현하는 글쓰기는 나 자신을 받아들이고 사랑하는 일이다. 많은 병이 스트레스가 원인인 경우가 많다. 솔직한 독백과도 같은 글쓰기는 나를 늙지 않게 한다. 건강하게, 늘 젊음을 유지하게 해준다. 나를 나답게 해주는 글쓰기야말로 너무나 매력적인 일이다. 나를 진심으로 사랑하는 것. 이것은 늙지 않고 젊은이로 사는 최고의 방법이다.

좋은 글을 필사하는 즐거움

책을 읽다가 우리는 종종 멋진 문장들을 발견한다. 그 문장들은 우리의 마음을 사로잡고, 감동을 안겨준다. 이때, 그 멋진 문장을 필사하고 나만의 문장으로 변화시키는 것은 큰 가치가 있다.'

'나는 행복하기로 선택했다.' '실행이 답이다.' '두려움이라는 용에 포기라는 먹이를 주지 마라.' '매일이 위대한 날이다. 내가 있는 곳이 멋진 곳이 바로 멋진 곳이고, 내가 가고 있는 곳이 멋진 곳이다. '내가 좋아하는 문장들이다.

멋진 문장을 필사하는 것은 그 문장의 아름다움과 표현력을 체득하기 위한 좋은 방법이다. 그러나 그저 문장을 베껴 쓴다면 아무 의미가 없다. 그것은 마치 학창 시절 연습장을 채우기 위해 깜지를 쓰는 것과 같다. 문장을 손으로 필사하면서 문장 속에 담긴 느낌과 구성을 자세히 관찰한다. 어떤 단어가 사용되었는지, 문장의 구조는 어떤지, 그리고 어떤 감정이 전달되는지를 주의 깊게 살펴보는 것이 중요하다. 실제로 내가 아는 시인 한 분은 시집 80여 권을 모두 필사하고 조직도 만드는 과정을 통해 시인으로 등단한 분도 있다.

필사 후 문장을 나만의 문장으로 변화를 주는 연습을 하는 것도 좋다. 그 문장을 자신의 스타일과 감성에 맞게 재구성해본다. 단어의 선택을 바꾸거나 문장의 구조를 변화시켜 본다.

'책 읽기가 필요하지 않은 인생은 없다.'라는 문장을 '글쓰기가 필요하지 않은 인생은 없다.'라고 바꿔 본다. '실행이 답이다.'라는 문장을 '다이어트, 운동이 답이다.', '글쓰기 기록이 답이다.''행복한 유년기를 갖기에 늦었을 때란 없다.'를 '행복한 어른이 되기에 늦은 때란 없다.'라는 식으로 고쳐보는 것이다. 흔히 '문장 비틀기'라고 표현하는 방법이다.

이 과정에서 자신만의 아이디어와 표현력을 발휘하는 연습을 하게 된다. 이런 연습은 표현력을 향상하는 데 많은 도움이 된다. 특히 책 제목을 만들 때 도움이 된다. 평소 멋진 책 제목을 가져와 내가 쓰고 싶은 글의 제목으로 바꿔 보는 연습을 평상시에 해보면 좋다. 연습을 통해 우리는 자신만의 글쓰기 스타일을 발전시킬 수 있고, 나아가 독특하고 개성적인 글을 쓸 수 있게 된다.

앞서 설명한 것처럼 멋진 문장을 필사하고 나만의 문장으로 바꾸는 과정은 창의적인 활동이다. 이미 만들어진 멋진 문장을 자기 아이디어와 표현력을 발휘하며 변모한 글은 소중한 작품이 될 것이다. 그 작품으로 사람들에게 감동과 영감을 전달해 줄 것이다.

매일 글을 쓰는 사람이 작가이다.

　좋은 작가가 되기 위해 끊임없이 도전하고, 자신을 발전시키는 여정을 포기하지 말자. 작가는 단지 감동만을 주기 위해 글을 쓰는 것이 아니다. 작가는 독자의 마음을 움직이고, 생각을 고무시키며, 인생을 변화시키는 힘이 있는 사람이다. 글을 통해 독자를 위로하고, 공감하며, 영감을 주는 일을 한다. 작가는 독자의 마음을 여는 열쇠를 건네주는 사람이다. 그 마법으로 독자는 더 큰 꿈을 꾸고, 더 넓은 세계를 탐험할 수 있다.

　마지막으로 하고 싶은 말은 부디 부지런히 읽고 많이 쓰라는 것이다. 작가의 꿈을 가지고 손에 연필을 움켜쥔 당신을 나는 오늘도 응원한다. 또한 나를 응원한다. 뜨겁게.

글을 쓸 계획을 세우지 마라

그냥 써라

독창적인 문체는

오로지 글을 쓸 때만

가능하다.

- 필리스 도로시 제임스 -

나를 만나는 시간, 책쓰기

건강커뮤니케이터 유명순

백년그집 식당을 운영하면서 스마트스토어 쇼핑몰을 운영
하고 있다. 식당 운영을 통해 맛있는 음식을 제공하며 10여년을 함께 하는 고객들과 오래된 지인이나, 가족처럼 소통하는 매장이 되었다.

글쓰기를 통해 내면의 감정과 생각을 표현하고 공유하는 즐거움을 느끼고 있다.

요리에 관심이 많아 조리사자격증과 영양사면허증을 취득하여 식당 운영과 더불어 건강한 식생활을 권장하는 활동을 하고 있으며, 김치 명장이 되기 위해 열심히 준비하고 있다. 또한, 주식에 대한 관심이 많아 주식 재테크 투자 전문가를 꿈꾸고 있다, 주식 재테크 투자로 하루하루를 무료하게 보내는 시니어들에게 주식에 대한 두려움보다는 경제를 알고 세상과 소통하는 소액투자의 즐거움을 알려 주고 싶다. 인생 2막을 맞이하여 건강하게 나를 가꾸고 멋진 노년을 꿈꾸며 삶의 맛과 건강을 추구하는 분들에게 조금이나마 도움이 되고자 노력하고 있다.

글쓰기 시작은 종이와 펜

예전에는 종이와 펜 없이 글을 쓰는 것은 상상하기 힘든 일이었다. 우리가 오늘날 편리하게 사용하는 컴퓨터와 핸드폰이 없던 시대에는, 종이와 펜이 글쓰기의 시작이자 필수품으로 여겨졌다. 종이와 펜은 단순한 도구에 불과하지만, 사람들이 아이디어와 감정을 기록하고 전달할 수 있는 중요한 매개체였다. 종이는 빈 도화지로서 마음의 노래를 펼치고, 펜은 마음을 움직이는 강렬한 도구였던 것이다.

종이와 펜을 이용해 글을 쓰는 과정은 매우 직접적이었다. 손으로 펜을 잡고 종이 위에 글자를 그리는 것은 작가의 생각과 감정이 손끝을 통해 흐르는 것과 같다. 하얀 여백의 종이는 매번 새로운 시작을 약속하며, 펜은 작가의 말을 현실로 만들어 내는 동반자다. 종이와 펜으로 글을 쓰던 시대에는 종이와 펜이 없이는 아무것도 할수 없었다. 오류를 수정하려면 재작성해야 했고, 수정한 부분을 지우려면 종이를 찢어내어야 했다. 그러나 이러한 과정에서도 작가는 그들의 마음을 글로 표현하는 동안 새로운 생각과 아이디어를 탐구하게 되었다. 그들은 종이와 펜의 한계 속에서 창의적인 해결책을 발견하고, 이를 통해 자신의 작품을 완성해나갔다.

21세기인 지금은 디지털 시대다. 종이와 펜은 이제 옵션 중 하나로 남아있을 뿐이다. 컴퓨터와 핸드폰을 통해 손쉽게 글을 작성하고 편집할 수 있다. 하지만 종이와 펜이 없어져도 글쓰기의 가치는 변하지 않는다. 종이와 펜은 여전히 우리의 상상력과 창의력을 자극하는 훌륭한 친구인 것이다. 예전에 글쓰기의 시작은 종이와 펜이었지만, 이제는 다양한 도구들이 글을 쓰기 위한 옵션으로 존재한다. 어떤 도구를 사용하든 그렇지 않든, 글쓰기의 시작은 여전히 우리 안에 있는 창의력과 열정이다. 종이와 펜은 과거의 필수품이었지만, 현대에는 디지털 도구들이 우리에게 편의를 제공하고 있다.

우리는 컴퓨터와 핸드폰을 이용해 글을 작성하면서도, 종이와 펜이 가져다주던 직접적인 연결과 접촉은 느끼기 어렵다. 그러나 디지털 도구들은 우리에게 다른 장점들을 제공한다. 편리한 편집 기능, 빠른 검색과 수정, 쉬운 공유와 백업 등이 그 예이다. 또한, 디지털 환경에서는 다양한 글쓰기 도구와 소프트웨어가 제공되어 창의적인 아이디어의 구현을 도와준다. 아날로그 시대의 종이와 펜이 없어져도, 글쓰기는 여전히 미적인 즐거움과 정신적인 충족감을 제공한다. 우리는 아이디어와 이야기를 표현하고, 정보와 지식을 공유하며, 감정과 경험을 전달할 수 있는 힘을 가지고 있다. 글쓰기는 우리가 자아를 탐구하고 세상을 이해하는 동시에, 다른 사람들과 소통하고 영감을 주고받는 수단이 된다.

이렇듯 종이와 펜은 과거의 기호이기도 하지만, 우리에게는 그들이 상징하는 가치와 의미가 있다. 종이는 흰 여백에서 아이디어와 상상력을 실체화하는 공간이며, 펜은 우리의 생각과 감정을 다른 사람들과 공유할 수 있도록 해주있다. 이들은 우리가 글쓰기를 통해 자아를 발견하고 성장하는 과정에 필요하고 중요한 것이다.

종이와 펜 없이 글을 쓰는 디지털 시대에는 한편으로는 편리함과 효율성이 증가했다. 글을 쓰는 과정에서 오타를 수정하거나 문장을 재구성하는 것이 훨씬 쉬워졌다. 또한, 인터넷을 통해 무한한 정보와 자료에 접근할 수 있으며, 글을 더욱 쉽게 공유하고 피드백을 받을 수 있다.

하지만 디지털 도구를 사용하면서도 우리는 종이와 펜이 가져다주던 일부 요소들을 잃어버렸다. 종이 위에 펜으로 글을 쓰는 것은 순간의 감정과 생각을 정확하게 담아낼 수 있는 특별한 경험이었다. 또한, 종이와 펜은 우리에게 조용한 시간과 공간을 제공하여 내면의 목소리와 소통할 수 있는 기회를 주었다. 따라서, 우리는 종이와 펜이 없어도 글을 쓸 수 있는 디지털 시대에 살고 있지만, 종이와 펜이 제공했던 독특한 경험과 감정을 소중히 여길 필요가 있다. 종이와 펜은 여전히 우리의 내면의 세계를 표현하고 창의적인 아이디어를 발전시킨다.

하얀 여백의 종이는 마음껏 표현할 수 있는 공간이다. 그 위에 우리는 자유롭게 생각과 감정을 기록하고, 아이디어와 상상력을 펼칠 수 있다. 종이는 우리에게 무한한 가능성을 제공하며, 우리가 어떤 주제든 자유롭게 기록하고 표현할 수 있는 도구이다.

종이는 우리의 마음을 담아내는 첫 번째 단계이다. 그 위에 우리는 손으로 글자를 쓰고 그림을 그리며, 단어와 문장을 이어 나가며 자신만의 세계를 창조한다. 종이 위에 글자가 흘러나올 때 우리는 자신의 생각과 감정이 현실로 드러나는 느낌을 받는다. 이는 디지털 도구로는 어렵게 전달될 수 없는 특별한 경험이다.

종이는 우리에게 집중과 내면의 조용한 시간을 제공해준다. 디지털 환경에서는 쉽게 산만해지고 분산될 수 있지만, 종이는 우리를 현재의 순간에 집중하게 만든다. 종이와 펜을 들고 있는 동안에는 우리는 내면과 대화하고, 온전히 나 자신만을 바라보며 자유롭게 상상의 나래를 펼칠 수 있는 것이다. 또한 우리에게 자유로움과 실험의 공간을 제공한다. 우리는 종이 위에 자유롭게 그림을 그리고, 스토리를 펼쳐나갈 수 있다. 종이는 우리의 상상력의 한계를 넘어설 수 있는 도구이며, 실패와 성공을 거듭하며 우리 자신을 발견할 수 있는 공간이다.

종이에는 모든 것을 담을 수 있다. 그 위에는 꿈과 목표, 감정과 경험, 이야기와 사고의 흐름이 담겨진다. 종이는 우리의 창작의 시작이자, 아이디어와 감정의 표현이자, 세계와의 소통의 매개체이다. 그중 대표적인 것이 다이어리 쓰기였다. 아무리 세상이 디지털세상으로 변했다 해도 종이와 펜은 우리에게 필수품이고 여전히 우리의 창작과 표현을 위해 귀중한 도구다. 종이에 마음껏 표현함으로써 우리는 자유로운 상상의 나래를 펼칠수 있는 것이다. 종이와 함께 꼭 필요한 것이 펜이다. 펜은 무엇인가를 적을 수 있게 한다. 마음이 전할 수 있는 것도 펜이 없으면 안된다. 단순히 글자를 적는 도구일 뿐 아니라, 마음이 전달되고 표현될 수 있는 열쇠이다. 펜을 사용하여 우리는 내면의 생각과 감정을 글자로 담아내며, 세상과 소통을 할수 있는 것이다.

마음치유의 책쓰기, 나를 만나는 시간

우리 삶은 여러 도전과 장애물로 가득 차 있다. 가끔은 갑작스런 이별로 마음이 아프고, 예기치 않게 직장을 잃는 일이 일어날 수도 있으며, 건강에 대한 위협적인 진단을 받을 때도 있다. 이렇듯 살면서 부딪히게 되는 어려운 상황들을 겸허히 받아들이고 인정하는 것이 중요하다. 때때로 생각지도 못한 어려움에 처했을 때 마음을 달래기 위해 한줄 한줄 글을 써 나가다 보면 스스로 위안도 받게 되고 어느 순간 어려운 문제들이 해결되어 가는 것을 알수 있다. 그래서 감정을 솔직하게 표현하고 감정의 흐름을 허용하는 것이 필요하다.

살아가면서 슬픔과 분노와 같은 감정들을 느끼는 것이 자연스러운 일이라는 것을 기억해야 한다. 하지만 많은 사람들은 어려운 상황을 받아들이고 감정을 다스리는 것이 쉽지만은 않다. 이런 감정들에 머물러 있는 것보다는 성장하고 배우기 위해 그 상황들을 이해하고 받아들여야 한다. 어려운 상황들은 삶의 한 부분이며, 이를 통해 더욱 강해질 수 있다는 자신감을 가져야 한다.

마음에 힘든 상황들을 극복하고 싶지만 그렇지 못할 경우 혼자만의 아픔으로 여기기 보다는 주변의 지지와 도움을 받을 수 있도록 열린 마음을 갖는 것도 중요하다. 가족이나 친구들과 이야기를 나누고 공감을 얻는 것은 위로와 격려를 받을 수 있는 좋은 방법이다. 이런 어려움을 극복하기 위해 긍정적인 마인드셋을 유지하는 것도 필요하다. 힘든 상황에서도 긍정적인 측면을 찾아보고, 문제를 해결하기 위해 노력하는 자세를 가져야 한다.

필자도 백년그집을 지금까지 운영하면서 어렵고 힘든 일들이 너무 많았다. 처음 대치동에 위치한 식당(현식당)에 올 때만 해도 이렇게 오래 하게 될 줄은 몰랐다. 이민규 교수님의 '질문하면 달라진다'에 어느 할머니의 이야기가 나온다. 할머니는 손주가 사준 신발을 자랑하고 싶어 나선 길이 대륙횡단까지 하게 되었다고 한다. 나 역시도 가벼운 마음으로 대치동에 와서 식당을 시작하게 되었다. 이곳에 오래 거주하고 있던 선배언니의 제안으로 주변에 삼겹살을 전문으로 하는 식당이 없으니 한번 해보자고 동업을 제의 해 온 것이다. 그 언니는 외식사업과는 전혀 다른 의류사업으로 대성공을 거둔 멋진 사업가였다. 분야가 다른 두 사람이 함께 오래 하기란 누가봐도 이상하지 않았을 것이다.

시작은 두사람이 함께 했지만 결국에는 필자가 맡아서 운영하게 되었다. 혼자 백년그집 식당을 혼자 운영하면서 많은 어려운 일들을 겪었다. 근무시간이 길다보니 늘 수면이 부족하였고 그로인해 졸음운전으로 큰 사고를 몇번이나 겪었다. 매장에서는 직원들의 실수부터 여러 형태의 손님들까지 모두 혼자 감당해야 하다보니 크고 작은 사건들로 상처투성이가 된 나를 위로 해줄 무엇인가가 절실히 필요했다.

그때 우연히 생따나비독서모임에 가입하게 되어 새벽에 일어나 책을 읽고 글을 쓰게 된것이 나를 지켜준 유일한 희망이었다. 바쁘게 돌아가는 하루중 점심시간이 끝난후직원들이 쉬는 시간에 오롯이 혼자만의 시간을 만들어 블로그에 글을 한문장씩 쓰게 되었다. 그러던 차에 박성옥 교수님이 운영하는 해피꿈북클럽에서 전략독서 & 강의 & 책쓰기 프로그램에서 공저를 쓰고 출간기념회를 한다며 필자가 운영하는 백년그집 식당에서 해도 되겠느냐고 제안이 와서 출간기념회를 하게 되었는데 3번째 출간기념회가 끝나고 그동안 지켜만 보았던 나 자신이 글을 쓰고 싶다는 생각이 강하게 들어서 4번째 공저인 "강사의 시대, 강의로 아웃풋하라"를 쓸 때 함께 하게 되었다, 그러면서 자연스럽게 작가의 길에 발을 담그게 되었다. 글을 쓰면서 시간이 날 때마다 더 많은 독서를 하기 위해 도서관이나 스터디까페에 가서 책을 읽고 글을 썼다. 어느날엔 커피숍에 앉아 책을 읽으면서 커피향에 젖어 멍때리는것도 힐링이 되었다. 이런 순간들이 모여 상처받은 나를 지켜준 소중한 시간들이 되었다.

이렇게 나를 만나는 시간을 갖지 않았었다면 작가 유명순은 없고 외식업 자영업자로만 남았을것이다. 디지털 세상으로 변해가는 현재지만 지금도 연말이면 다이어리를 만지작거리는 나를 만난다.

누구든 자기 자신을 돌보는 것이 필요하다. 우리는 자신을 이해하고 용서하며 건강한 삶을 위해 노력해야 한다. 충분한 휴식과 취미생활, 건강한 식습관을 갖추는 것이 우리가 어려움을 극복하는 데 도움이 될 것이다. 그리고 사람은 믿음을 가지는 것이 중요하다. 어떤 상황이든 믿음을 잃지 않고 희망을 가져야 한다. 어려운 시기가 지나면 더 나은 시간이 올 것이라는 믿음을 가지고 노력하며 기다려야 한다.

우리는 모두 삶의 변화와 어려움을 경험한다. 하지만 이러한 상황들을 능동적으로 받아들이고, 긍정적인 마인드와 믿음을 갖고 대처한다면 더욱 강해지고 성장할 수 있을 것이다. 함께 어려움을 극복해 나가는 모든 분들에게 희망과 격려를 보낸다 이런 어려움을 극복하기 위해 긍정적인 마인드셋을 유지하는 것이 필요하며, 힘든 상황에서도 긍정적인 측면을 찾아보고 문제를 해결하기 위해 노력하는 자세를 가져야 한다.

초보자를 위한 책쓰기 기법

책쓰기란 작가가 자신의 경험, 지식, 상상력을 바탕으로 소설, 시, 에세이와 같은 형식으로 글을 창작하는 과정을 말하는 것이다. 그러나 책을 쓰는 과정에서 많은 시행착오와 어려움이 발생할 수 있다. 특히 초보자들에게는 책을 쓰는 것이 쉽지 않은 일일 수 있다. 따라서 이 글은 책을 쓰고자 하는 분들을 위해, 책을 쓸 때 어떤 것을 고려해야 하는지에 대해 공유하고자 한다.

1. 책을 쓰기 위해서 필요한 조건은 무엇일까?

책을 쓰기 위해서는 몇 가지 중요한 조건이 필요하다. 첫째, 글쓰기 능력은 필수이다. 문법, 구문, 철학적인 내용을 표현하는 능력은 독자에게 내용을 전달하는 데 중요하다. 둘째, 창의성은 책을 독특하게 만들어주며 독자의 흥미를 끈다. 주제에 대한 깊은 지식과 연구 능력은 내용을 근거 있게 제시하기 위해 필요하다. 또한, 충분한 시간과 노력을 투자해야 한다. 책쓰기는 시간 소모적이며, 여러 판을 거칠 수 있다. 셋째, 인내심도 중요하다. 작업 중에 어려움과 좌절이 있을 수 있으며, 이를 극복하기 위한 인내심이 필요하다. 이러한 조건을 충족시키면 훌륭한 책을 쓸 수 있을 것이다.

2. 어떤 주제의 책을 쓸 때 가장 중요한 것은 무엇일까?

책을 쓸 때 가장 중요한 것은 철저한 조사와 탄탄한 구성이다. 주제에 대한 깊은 이해와 신뢰성 있는 자료 수집을 통해 정확하고 믿을 만한 정보를 제공해야 한다. 또한, 책의 구성이 중요한데, 내용은 논리적으로 연결되어야 하며 시작, 중간, 끝 부분이 명확하게 정의되어야 한다. 이렇게 하면 독자가 주제를 쉽게 이해할 수 있다. 독자의 수준과 관심사를 고려하여 내용을 전달하고, 주요 내용을 강조하며 불필요한 정보는 배제해야 한다. 마지막으로, 작가의 개성과 스타일을 표현하여 주제를 더 흥미롭게 만들 수 있다. 조사와 구성을 통해 독자와 효과적으로 소통하는 것이 핵심이다.

3. 책을 쓰는 과정에서 어려운 점은 무엇일까?

책을 쓰는 과정에서 가장 어려운 점 중 하나는 글쓰기에 대한 자신감 부족이다. 자신의 아이디어와 이야기를 글로 표현하면서, 자주 "이게 맞는 걸까?" 혹은 "내 글이 다른 사람들에게 어떻게 다가갈까?"와 같은 의문이 생기곤 한다. 이러한 불안은 글쓰기를 시작할 때 더욱 부각되었고, 자주 작업을 멈추게 만든다. 또한, 글쓰기의 흐름을 유지하는 것도 어렵다. 글을 쓰다 보면 아이디어가 떨어지거나 글의 논리적인 흐름을 유지하기 어려울 때가 있다. 이 때문에 중간에 작업을 중단하거나 글의 일관성을 유지하는 데 고민이 많다.

이러한 어려움을 극복하기 위해 글쓰기 연습과 자신을 믿는 자세를 갖는 데 노력하며, 필요한 경우 다른 작가들의 작품을 공부하고 영감을 얻으려 노력해야한다. 작가로서의 자신감을 키우고 글쓰기의 흐름을 더 원활하게 유지하기 위해 꾸준한 노력이 필요하다.

4. 책을 쓰기 위해 필요한 시간과 노력은 어느 정도인가?

책을 쓰려면 많은 시간과 노력이 필요하다. 책 작성은 여러 단계로 나뉘어져 있다. 먼저 주제를 선택하고, 아이디어를 개발하고, 연구를 하며, 글을 쓰고, 수정하고, 편집해야 한다. 이 각각의 단계에서 시간과 노력을 투자해야 한다. 책 작가들은 종종 작업을 시작하고 완료하는 데 몇 달에서 몇 년이 걸린다. 책을 쓰려면 주제에 대한 깊은 이해와 연구, 논리적인 구성 능력, 그리고 글쓰기 스킬을 개선하기 위한 끈기와 연습이 필요하다. 또한, 작가는 자신의 아이디어와 메시지를 명확하게 전달하려고 노력해야 한다. 이 모든 노력과 시간 투자는 작품 퀄리티와 독자 만족도에 영향을 미친다. 그래서 책쓰기 작가가 되려면 인내와 헌신이 필요하다.

책을 쓰는 것은 많은 장점을 가지고 있다. 책쓰기의 장점은 다음과 같다.

첫째, 책을 통해 여러분은 자신의 아이디어와 지식을 다른 사람들과 공유할 수 있다. 저자의 경험, 전문 지식, 창의적인 아이디어 등을 독자들에게 전달할 수 있다.

둘째, 책은 영구적인 창작물로서 존속한다. 한 번 출판되면 오랫동안 사람들에게 영감과 지식을 전달할 수 있으며 계속해서 읽히고 소중히 여긴다.

셋째, 책을 쓰는 과정은 자기 계발과 성장에 도움을 준다. 깊은 연구와 탐구를 통해 전문성을 향상시키고 사고력과 창의성을 발전시킬 수 있다.

넷째, 출판된 책이 성공하면 판매를 통해 인세 수입을 얻을 수 있다.

다섯째, 책 출판은 다양한 형태의 수익을 창출할 수 있는 기회를 제공한다. 책의 내용과 관련하여 강의나 강연을 통해 지식을 공유하고 추가적인 수익을 얻을 수 있으며, 전문 분야에서 인정받고 영향력을 키울 수 있는 기회도 열어준다.

여섯째, 책을 쓰는 과정에서 자신의 전문성을 향상시키고 새로운 아이디어와 관점을 발견할 수 있다. 이는 인생을 크게 바꿀 수 있는 기회를 제공한다.

일곱째, 책은 자신의 이름으로 된 작품을 세상에 남길 수 있는 기회를 제공하다. 여러 세대에 걸쳐 사람들에게 영감과 지식을 전달하며, 자신의 전문성과 업적을 대중에게 알리고 인정받을 수 있다.

여덟째, 책쓰기는 자신의 자존감과 자신감을 향상시키는 좋은 기회가 될 수 있다. 큰 도전이지만 성취감과 자부심을 가져다주며 자신의 아이디어와 지식을 세상에 알림으로써 사람들에게 영감을 주는 작가로 성장할 수 있다.

책을 쓰는 것은 훌륭한 여정이다. 새로운 아이디어와 지식을 공유하고, 영구적인 창작물을 만들며, 자기 계발과 성장을 촉진하며, 재정적 보상을 얻고, 다양한 형태의 수익을 창출하며, 인생을 크게 바꾸고, 자신의 이름으로 된 작품을 세상에 남기고, 자신의 자존감과 자신감을 향상시키며, 독자들에게 영감을 주는 작가로 성장할 수 있는 기회를 제공한다. 이 모든 장점을 통해 책을 쓰는 것은 작가로서의 멋진 여정을 시작하는 것이며, 이는 자신뿐만 아니라 다른 사람들에게도 긍정적인 영향을 미칠 것이다.

책쓰기로 자기를 표현하라

지난 수십 년 동안, 나는 자영업자로서 바쁜 삶을 살아왔다. 집에서는 딸로, 엄마로, 아내로서의 역할을 충실히 수행해야 했고, 사업을 운영하면서는 고객과 직원을 위한 봉사와 배려에 힘을 쏟았다. 이러한 다양한 역할과 책임으로 인해 나는 자신을 표현하거나 내면의 목소리를 드러내는 시간을 찾기 어려웠다. 내면에 숨겨진 생각과 감정을 억누르며, 조용히 견뎌왔던 것 같다.

그러나 어느 순간, 나의 내면에서 자기표현의 욕구가 어렴풋이 자라기 시작했다. 무엇인가를 말하고 싶었고, 나의 경험과 생각을 다른 이들과 공유하고자 했다. 이것이 바로 책쓰기로 나아가는 첫 걸음이었다.

글쓰기를 시작한 순간, 내면의 목소리가 드러나기 시작했다. 종이와 펜을 통해 간단한 일기부터 시작해 내 감정과 생각을 기록하며 마음을 정리해보았다. 글을 통해 내면의 목소리가 더욱 선명해지고, 나를 표현하며 세상과 소통할 수 있는 방법을 찾아나갔다.

책쓰기는 나의 마음을 치유하는 과정이기도 했다. 글을 통해 감정을 솔직하게 드러내면서, 지나간 상처를 바라보고 헤아릴 기회와 내 삶을 돌아보고, 그것을 긍정적으로 생각하게 되었으며 새로운 시작을 할 용기를 얻었다.

또한, 책을 쓰면서 나의 이야기를 공유하는 것이 다른 이들에게 영감과 교훈을 주는 법임을 깨달았다. 나의 경험과 생각을 통해 다른 이들의 마음에 희망과 용기를 심어주는 것은 놀랍게도 큰 보람이었다.

자기표현의 힘을 발견하고 나만의 목소리를 찾는 것은 고단한 역할과 책임에서 벗어나 내면의 자유로움을 찾는 것과도 같다. 책쓰기는 나의 자아를 발견하고 나만의 이야기를 찾아내는 과정이다. 필자는 가족의 주인이자 사업주로서의 역할에서 벗어나 나만의 목소리를 드러내며 새로운 삶을 찾을 수 있었다. 나 자신을 만나며, 나만의 이야기를 쓰며, 세상에 나를 소개해보길 바란다. 이것이 자기표현의 힘이다.
책쓰기를 통해 자기를 표현하는 여러분이 되길 응원한다.

희망의 날개를 펼치며

희망메신저 이미옥

삶에 대해 당당함은 최고의 보람이고 희망이다. 음악학원 33년 차 운영 중 앞으로 퇴직 이후의 삶, 인생 2막에 주어진 30년은 내가 마음먹기에 따라 달라진다. 건강한 삶 속에 생각은 긍정의 글을 남기고 건강한 삶일 때 희망으로 연결된다.

희망연구소 대표 희망 메신저로서 희망 책방에 또 한 권의 책 <희망의 날개를 펼치며>를 더하고 있다. 삶 속에 희망을 품은 사람은 희망을 전하는 책을 쓴다. 작가의 삶 속에 진정한 나를 찾아 떠나는 여행, 그 야기를 "희망 책방"에 담아내고 세상 사람들과 소통하고 있다. 오늘도 한 줄의 글을 쓰는 작가의 삶으로 한 걸음 더 다가서는 중이다.

<저서>
《100일간의 두드림 날개를 펼치다》
《배움이 이끄는 삶》
《독서법으로 삶을 리드하라》
《강의 시대, 강의로 아웃풋 하라》
《작가의 시선》
《시니어 전성시대》
《시니어 전성시대 2》
《매일 아침 걸어 봤니?》
《지난 여름날의 기록》
《한 문장 독서법》
《강의도 무대 위 예술》
《가족》
《세 여자의 디카시》

글쓰기는 희망이다.

좋은 희망을 품는 것은 바로 그것을 이룰 수 있는 지름길이다. - 루터

습관처럼 몸에 지녀야 할 글쓰기, 책쓰기는 매일 반복되는 적은 노력과 일상 속에서 집중되는 순간에 의미를 담아내는 기록들의 합이다. 책쓰기와 글쓰기에 관한 생각을 하다 보면 하루에 오만가지 생각이 스쳐 간다. 나에게 붙잡힌 것에 의미를 담아 한 줄이라도 글을 쓰자는 생각으로 매일 아침 산책길에 자연을 보고 느낀 점, 그 순간을 짧은 글과 사진을 유심히 관찰하고 기록을 남겼다. 꾸준함으로 쓰인 글은 나에게 희망을 주었다. 4개월 동안 매일 아침 산책길에 기록된 글은 『지난 여름날의 기록』으로 100쪽 분량의 전자책을 등록하게 되었다.

이렇듯 꾸준히 기록된 글은 또 다른 희망을 품고 글을 써 나갈 힘을 실어준다. 기록이 더해 갈수록 책의 권수도 늘어 간다. 『지난 여름날의 기록』은 아침 산책길 설렘의 순간을 담은 책이다. 누군가와 수많은 대화를 나누고 설렐 때 찰나의 순간 바람처럼 사라져도 글은 영원히 남는다. 나 자신의 내면을 들여다보고 평생 글을 적어내는 에고 작가의 길을 희망하며 글 속에 희망을 담아 보려고 노력하고 있다.

글을 쓰는 사람은 스쳐 가는 생각을 붙잡아 둔다. 언제나 희망을 품은 사람의 글에는 경험에서 얻어진 에너지가 있다. 모든 것에 대해 희망을 품고 기록하자. 번쩍 스쳐 가는 생각은 바람처럼 연기처럼 순간 훅 지나간다. 바람은 잡을 수 없어도 그 순간 키워드 한 단어는 잡을 수 있다. 경험을 대신할 수 있는 것은 아무것도 없다. 키워드 한 단어에 생각을 담자. 감사하며 쓰는 글은 자신에게 희망을 준다.

화가는 그림으로 표현을 하듯 작가는 글로 마음껏 표현하고 공감하며 소통할 수 있다. 글쓰기는 자신을 발견하고 성장할 수 있는 과정이다. 삶에 의미를 담아 우리의 이야기를 자유롭게 펼칠 수 있기를 희망한다.

글쓰기와 읽기를 위한 원칙

글쓰기와 읽기는 서로 연결되어 함께 가야 한다. 읽은 내용은 나의 생각을 더하여 순간순간의 붙잡은 기록이다. 글쓰기를 할 수 있다고 나 자신을 믿는 것은 곧 날개를 다는 것이다. 글을 쓰다 보면 자신만의 생각에 꽂힐 때가 있다. 자신만의 숨은 이야기 속에는 수많은 사연을 품고 있다. 이러한 사람들, 즉 글을 쓰는 사람의 수는 얼마나 될까?

예전과 달리 글을 쓰는 사람의 수는 늘어나고 있다. 시대 변화로 디지털 세상에 접어들면서 블로그, 소셜 미디어, 온라인 커뮤니티 등을 통해 글을 쓰는 사람들의 수가 증가하면서 다양한 주제의 글을 쓰고 있다. 글쓰기는 많은 사람에게 창의성, 표현력, 소통하는 기회를 제공한다. 글을 쓰는 사람은 내가 직접 보고 듣고 경험으로 얻은 것을 놓치지 않는다. 다른 누군가가 글을 쓰고 책을 쓴다면 그들 나름의 원칙을 갖고 있을 것이다. 원칙 속에 읽고 생각의 깊이를 더하는 순간이 최고의 글쓰기다. 세상의 많은 사람과 읽고 쓰고 소통하자. 다음은 '글쓰기를 위한 기초원칙'과 '독자가 쉽게 읽을 수 있는 글쓰기'에 대해 알아본다.

글쓰기를 위한 다섯 가지 기초원칙

첫째, 꾸준하게 써라. 매일 조금씩이라도 글을 써보자. 글 쓰기는 능력이 아니라 습관이다. 일주일에 한 번 글을 쓰는 것보다는 하루에 조금씩이라도 써보는 게 좋다.

둘째, 자신만의 스토리를 찾아라. 자신의 경험, 생각, 감정, 그리고 강점을 찾아보자. 이를 통해 자신만의 스토리를 발견 하고, 그것을 글로 표현할 수 있다.

셋째, 기록하자. 글쓰기는 기록하는 것이다. 하루 중에서 누군가와 대화를 나누는 것, 흥미로운 사건을 본 것, 또는 자신이 느낀 것 등을 기록해 보자. 이렇게 기록하는 것이 습관이 되면, 글쓰기도 자연스럽게 늘어난다.

넷째, 끊임없이 연습하자. 글쓰기는 매일 조금씩이라도 연습해 보자. 글쓰기에 대한 자신감을 얻을 수 있다.

다섯째, 세끼 밥을 먹듯 기록이 습관이 되게 하자. 이것은 더욱더 꾸준함을 위한 조언이다. 세끼 밥을 먹듯이 매일 조금씩이라도 글을 쓴다면, 글쓰기는 자연스럽게 연결됨을 알 수 있다.

독자가 쉽게 읽을 수 있는 글쓰기 다섯 가지

첫째, 간결하고 명확한 문장을 사용한다.
글을 쓸 때, 문장을 간결하고 명확하게 작성하는 것이 중요하다. 길고 복잡한 문장보다는 짧고 명료한 문장을 사용하여 독자가 이해하기 쉽도록 쓰자.

둘째 쉬운 언어를 선택한다.
전문 용어나 어려운 단어보다는 일상적으로 사용되는 간단한 언어를 선택하는 것이 좋다. 독자가 쉽게 이해할 수 있는 단어 초등학생도 읽기 쉬운 단어로 쓰자. 어색한 단어는 문맥을 흩트린다.

셋째, 체계적인 구성을 유지한다.

목차를 만들어 주제를 분류하거나 단락을 사용하여 주제를 세분화하는 등 구성을 명확하게 하자. 이렇게 하면 독자가 글의 흐름을 따르기 쉬워진다.

넷째, 예시와 그래픽을 사용한다.

독자가 이해를 돕기 위해 예시나 그래픽을 사용하는 것도 좋은 방법이다. 이미지, 도표, 그림 등을 활용하여 독자가 시각적으로 정보를 쉽게 파악할 수 있도록 참고하는 것도 글쓰기의 지혜다.

다섯째, 독자의 관심을 유지한다.

독자의 관심을 유지하기 위해 흥미로운 도입부와 마무리를 작성하는 것이 중요하다. 도입부에서는 독자의 호기심을 자극하는 질문이나 흥미로운 사실을 제시하여 글을 시작할 수 있다. 마무리에서는 요약이나 결론을 간결하게 제시하면서 독자에게 의미 있고 강조할 내용을 남기자. 이러한 규칙을 조금만 따르면 독자가 쉽게 읽을 수 있는 글을 작성할 수 있으며, 글의 가독성을 높일 수 있다.

지금은 아웃풋 시대

　우리는 늘 공부해야 한다고 생각하며 살아왔다. 아웃풋보다 인풋에 열을 냈다. 학교 다닐 때도 공부하고 늘 배우는 게 우선이었고 배워야 하는 것을 중요시했다. 그런 점에서 평소에 몸에 배어있었던 탓에 어른이 된 지금도 배우는 게 습관으로 남아있다. 50대 후반 읽기만 했던 독서, 머릿속에 남기는 것보다 기록을 남기는 게 좋겠다고 생각했다. 뭔가 아웃풋을 하는 게 남는 거란 걸 알았다. 좋은 추억은 가슴에 품기도 하지만 사진과 영상, 기록으로 함께 남기면 여행의 맛은 더 오래가고 감동으로 남는다. 책을 읽고 나눔과 독서 토론 후 최소 한 문장이라도 내 생각이 더하여 기록하는 게 아웃풋이다. 훌륭한 작가가 되고 싶다면 쓰라. 누구나 처음의 글은 쓰레기라고 하지만 그 단계가 지나야 글도 나와 함께 성장한다.

처음 책을 등록하고 네이버 인물 검색에 작가로 얼굴이 나타나고 지인으로부터 "작가님"이라 불렸을 때, 30년 넘게 불렸던 음악학원 원장님보다 더 설레게 했다. 남들은 "그게 뭐 별거 아니야!"라고 하겠지만 원장님보다 작가님! 그 호칭은 나의 손에 펜을 쥐고 글을 쓰게 했다. 자부심을 안겨 준 큰 선물, 나에게 새로운 세상과 연결되고 자신감을 느끼며 글을 쓰는 데 힘을 실어주었다.

세상의 비난 속에 성장하는 작가는 글을 쓰고 당당하게 나설 수 있는 용기, 바로 미움받을 용기다. 나와 결이 맞아 공감하는 독자도 있지만 그렇지 않을 수도 있다. 세상에 100% 나의 찐 팬은 없다. 또는 첫 글은 칭찬과 박수를 보낸 사람도 있지만 무슨 글을 쓴다고, 비웃는 사람도 있다. 몸에 좋은 약이 쓴맛이듯 쓴소리를 받아 들여야 글도 성장한다.

인생 2막 신중년의 삶에 주어진 글쓰기는 나의 내면의 세계를 들여다보게 했다. 살아온 나이 숫자만큼 옛 추억들도 많이 간직하고 있었다. 이젠 작가로서 하나씩 끄집어내고 있다. 작가의 삶은 인생을 풍요롭게 한다. 인생 최고의 전성기로 나의 열정을 쏟을 수 있는 것이 글쓰기다. '흘러가는 시간 어찌 되겠지?' 가 아닌 주어진 시간 속에 나의 열정을 쏟을 수 있는 시간의 주인공, 내 인생의 주인공으로 청춘보다 더 멋지게 살아갈 것이라 다짐한다. 봄에 피는 꽃보다 가을 단풍이 눈이 부시도록 더 아름다움을 지니듯 젊은 시절 느끼지 못했던 것들이 나이 듦에 깊은 내공으로 쌓여 간다.

인생의 성숙기는 60세부터 75세까지라고 한다. 정신적 성장의 중요성을 말한다. 남아있는 시간 동안 무엇을 해야 하는지 말해 준다. 피터 드러커는 "나의 전성기는 60부터 90세까지 30년이었다"라고 말했다. 여생의 풍요는 내가 만들어 갈 때 빛난다. 나를 빛나게 하는 것은 작가의 삶이다. 원장님보다 작가님의 한마디는 나를 더 설레게 했듯, 앞으로 나의 전성기는 글 쓰는 삶과 함께 세상 사람들과 연결될 때다.

삶이란 혼자만의 것은 아니다. 누군가에 의해 성장하고, 성장 속에 함께 배우고 경험한다. 배우고 경험한 것은 또 다른 누군가에게 영향을 준다. 이렇게 주는 것이 우리의 삶이다. 글을 쓰면 세상의 모든 사람에게 주는 삶이 된다. 물 흐르듯 욕심 없는 글쓰기는 쓸수록 넓은 세계가 펼쳐진다. 글을 쓸수록 인생의 깊이도 달라진다. 글쓰기를 통해 새로운 세상을 만나듯 작가의 삶이 바로 그런 것이다.

순간순간 기록하는 시간은 가장 큰 보상이 되지만 기록하지 않는 한 그 밖의 어떤 것도 내 것이 될 수 없다. 탁월함은 언제나 노력하는 것의 점진적인 결과다. 쓰기와 생각을 꾸준한 노력으로 이어가는 사람에게 그 보상을 준다. 글을 쓰겠다는 목표를 세우는 것은 보이지 않는 생각을 보이는 것으로 기록하는 첫 번째 단계이다. 오늘의 나의 경험이 두 번 다시 오지 않을 수도 있다. 오늘 내 생각이 다시 떠오르지 않을 수도 있다. 오늘 나에게 주어지는 희망도 고통도 마지막 주어진 기회라 생각하자. 하루가 지나면 그 새벽은 다시 오지 않는다. 모든 순간의 기록은 탁월함이 있다. 쓰겠다는 자신감 속에 나의 탁월함은 찰나의 빛과 같은 위대한 결과를 남긴다.

어느 날 지워진 글이 아이디어를 주고 떠날 때도 있다. 내가 쓰려고 마음먹고 적어 나가던 글도 180도 다른 방향을 향하고 있을 때도 있다. 작정하고 마음잡고 쓰겠다는 글은 사라지고 전혀 생각지도 않았던 글이 순간 떠올라 막 쏟아 낸 경험도 있다. 글을 쓰려는 마음을 늘 갖고 있었기에 가능한 것이 아닐까?

책쓰기는 늘 관심과 관찰로 책을 쓰겠다고 꿈꾸는 사람들이 쓰는 것이다. "내가 무슨 책을 써"라고 생각할 수도 있다. 책은 유명한 학자, 성공한 사람만이 쓰는 것으로 알았던 그 시대는 지났다. 시대가 변하여 누구나 글을 쓰고 작가가 될 수 있다. 여러 작가님과 함께 글을 쓰고 있다는 사실에 힘든 만큼 보람도 느낀다. 사람들은 누구나 쓸 수 있다고 쉽게 말하지만 내가 마음먹지 않으면 쓸 수 없는 것이 책쓰기다. 오롯이 내 생각을 통과한 나의 이야기, 내가 쓴 책이 ISBN 정식 등록이 되면 국립 중앙도서관과 국회도서관에 의무적으로 등록된다는 사실과 저자로 인물 등록과 함께 네이버에 검색되고 알려진다는 점이다. 보통 사람이 경험할 수 없지만, 글을 쓰는 작가는 이런 순간을 경험하게 된다. 자존감이 올라가고 자신감이 생기지 않았을까?

첫 책은 오로지 감동으로 기억된다. 누구나 처음 작가가 되었을 때 자신만의 잊지 못할 설렘을 가지고 있을 것이다. 책 표지에 적힌 자신의 이름을 봤을 때 그 느낌은 감동을 준다. 세월이 지나고 보면 내 첫 책 속에는 뻔한 이야기들, 남들도 다 아는 얘기를 열심히 써 내려갔던 순간이 있을 것이다. 그런 순간이 있어야 다음 단계로 성장한다. 짧은 순간에 잘 쓰는 방법을 욕심내기보다 독서와 함께 세월의 흐름에 꾸준히 생각을 키워가는 성장의 길을 안내받을 것이다.

처음 글을 쓸 때는 어떤 생각도 할 수가 없었다. 저자의 이름이 등록되는 것만 해도 내 책이 나온다는 것만으로도 충분한 감동이 전해지기 때문이다. 감동하다 보면 내가 어떤 책을 써야 하겠다는 생각이 더 분명해진다. 처음으로 쓰는 글에서 보이지 않던 내용도 자꾸 반복 글을 쓰다 보면 내 생각과 함께 성장해 간다는 것을 분명히 느낄 수 있다. 내 삶을 위해 꾸준히 써나 갈 때 자연스럽게 성장한다.

요즘 읽는 사람도 쓰는 사람도 같은 눈높이에서 책 쓰는 시대다. 스펙이 있어야 쓰는 것도 아니고 유명 작가나 유명인만 쓰는 게 아니라 누구나 책을 꾸준하게 읽는 사람이라면 가능한 일이다. 책에 한 문장이 마음을 움직이게 하는 순간들이 반복될 때 더 빠르게 작가의 꿈을 키워 갈 수 있다. 독자가 무엇을 원하는지 좀 더 제대로 잘 써 봐야겠다는 생각도 정리가 된다. 권 수가 늘어날 때마다 생각도 성장해 가는 것을 느낀다. 내 삶의 이야기가 진심을 담아낼 때 독자에게 전달된다.

책을 쓰고 싶다면 독서를 많이 하는 게 정답이 될 수 있다. 맛있는 음식을 요리하려면 좋은 음식을 먹어 보는 것처럼 말이다. 책은 시간과 공간을 넘어서 시대의 지식인과 소통하며 창조적인 아이디어를 얻게 한다. 복잡한 머릿속을 정리해 주고 마음을 안정되게 하고 명확한 판단을 내릴 수 있게 도와준다. 생각의 깊이를 더하고 인생의 목적을 현명하게 바라보게 한다. 자신과 대화를 끌어내고 지혜의 창을 열어준다. 이처럼 독서와 글쓰기는 바늘과 실처럼 함께 가야 한다. 읽지 않고 쓰겠다는 것은 재료 없이 요리하는 것과 같다.

성공을 꿈꾸는 사람이라면 누구나 쓸 수 있다. 우리의 어린 시절 성공한 사람이 쓰는 책이었다면 지금은 나의 삶의 일부와 소통하는 글을 써보자. 누구나 글을 쓰겠다는 마음을 갖고 꾸준함과 끈기만 있다면 작가가 되기 쉬운 시대다. 나의 책, 내 이름 세 글자의 주인공이 되어 내 삶의 일부를 세상과 소통하는 이야기로 적어보자.

자신의 능력을 개발하는 글쓰기

고통을 이겨낸 만큼 그의 깊이는 달라진다. 글쓰기의 고통을 견디지 못하고 도피하려는 것은 뜨거운 태양도 없이 과일의 단맛을 얻으려는 것과 같다. 내가 견뎌낸 고통이 얼마나 달콤한 맛을 내는지를 느낄 때 글도 더 많이 성장할 수 있다. 정직한 고통은 나를 단단하게 한다. 글쓰기에 대한 마음이 없다면 한 줄의 글도 시작하기 어렵다. 그러나 나의 이야기를 세상 밖으로 무엇인가를 생각하며 담아내는 무엇인가를 전하려 할 때 나의 글쓰기는 쉬워진다. 이러한 과정을 감내할 용기가 없는 사람은 삶에서 아무것도 이뤄낼 수 없다. 글쓰기는 인내와 노력 꾸준한 기록의 과정이 정직한 고통이라 여기면 가능하다.

글쓰기는 나중이라는 말이 필요 없다. 기회를 잡고 무조건 써라. 하루 오만가지 바람과 함께 스쳐 가는 게 생각이다. 산책하며 떠오른 생각, 식사 중에도, 샤워 중에도, TV 광고에서도, 영화나 드라마 대사 한 마디가 나의 옛 추억과 연결되어 나타나기도 한다. 이 순간순간의 기록이 당신의 글쓰기에 힘을 실어 줄 것이다. 나중은 기억조차 없는 허무하고 아리송한 기억 속에 한 문장도 만들지 못하고 만다. 순간 포착과 동시 기록하는 그것이 당신의 글쓰기 능력을 키우고 성장시킬 것이다. 자신의 능력을 개발하는 것은 글쓰기다.

고통은 용기와 지혜를 준다. 지혜는 자신을 믿을 때 샘솟는다. 한 가지 일을 경험하지 않으면 한 가지 지혜가 자라지 않는다. 지혜 속에 자신의 능력을 개발하는 것은 지금 한 줄이라도 붙잡아 두는 끄적임의 흔적들이다. 가끔 휘리릭 쓰이는 날도 있고 내 생각을 따라가기 바쁠 때도 있다. 반복하고 지속하고 유지할 때 지혜가 담긴 글이 탄생한다. 인내와 끈기, 고통 속에 쓰이고 탄생하는 게 글이고 책이다.

쓰기의 생각도 숙성의 시간이 필요하다. 김치도 숙성의 시간이 지나야 제맛을 내고, 추운 겨울 혹독한 한파를 잘 견뎌낸 덕분에 화사한 봄날을 맞이하듯 실패의 경험과 고난에서 성장하고 빛난다. 이러한 과정도 없이 무슨 일이든 그것을 재빨리 해치우려는 생각은 손해를 본다. 시간과 함께 생각을 숙성시키고 키워가는 과정이 글쓰기다.

목표를 가진 자는 장애물을 겁내지 않는다. 침착하게 준비하는 과정은 어떠한 어려움 속에서도 목표에 도달할 것을 믿고 있기 때문이다. 인생을 발전시키는 과정에서 술술 잘 풀리기보다 가끔 어렵고 실패를 경험하게 된다. 실패는 신선한 자극이다. 내가 하고자 하는 일에 꽃길만 걸을 수 없다. 한 단어의 꼬임에 글 쓰는 시간이 길어지고 목, 어깨, 허리에 고통이 따르고 등에 땀이 고이는 경험을 했을 것이다. 이러한 과정을 이겨낸 시간 만큼 끈기와 열정이 나의 글쓰기 목표에 도달하게 할 것이다.

제철의 과일이 제맛을 내듯 오래된 과일은 그 맛을 잃어버린다. 음식도 오래되면 그 맛을 잊어버리듯 오래된 글은 설레게 할 수 없다. 오래 끄는 나태함은 진취성을 마비시킨다. 생생함이 전해지는 글 오감이 느껴질 때 글에 힘이 실린다. 바다가 잔잔할 때 보다 물속에 고기가 팔딱거릴 때 더 감동하듯, 파도가 바윗돌에 부딪혀 하얀 파도를 만들어 낼 때 우리는 함성을 지른다. 이러한 풍경이 기억 속에 오래 간직되듯 감동이 전해지는 순간을 맞이했을 때 놓치지 말자. 글 속에 잔잔한 에피소드 있다면 글도 살아서 움직임을 갖고 그 순간이 오래 기억된다.

글에 의미를 더하기 위해 마음을 열고 솔직하게 표현하자. 세부적인 이야기를 전달하기 위한 사진 삽화 도안 등을 활용하여 생동감 있게 전달할 수도 있다. 긍정적인 메시지와 영감을 담아 독자의 마음을 움직이고 자신의 목표와 가치를 명확하게 반영해야 한다. 이러한 요소들이 결합하여 의미 있는 글을 작성할 수 있다.

글쓰기는 머릿속에 담긴 생각을 적는 것이다. 보고 듣고 느낀 생각을 끄집어내는 과정이 글쓰기다. 글쓰기는 미술 작품처럼 창조하고 만드는 것이 아니다. 본 그대로 느낀 대로 써내야 한다. 매 순간 변화 속에 일어나는 이야기 화가 나고 억울했던 일, 창피하고 부끄러운 일, 행복하고 설레었던 순간 주변에 일어나는 인생 이야기를 적어내는 것이 글쓰기다. 좋은 글, 깊이 있는 글, 그럴듯한 생각을 하느라 시간 보내지 마라, 순간순간 스쳐 가는 생각을 적어 두고 툭툭 튀어 오르는 그 순간을 붙잡는 것이 글쓰기다.

글을 쓰려고 하면 보이는 것이 달라지고 많은 생각이 내 머릿속을 스쳐 간다. 글을 쓰게 되면 모든 것이 의미 있게 다가온다. 그 많은 생각 중에 딱 한 가지만이라도 붙잡고 기록을 남기자. 나의 일상을 들어내고 내 안에 진정으로 꿈틀대고 있는 것에 관심을 두고 집중하자. 사람의 수만큼이나 각자의 삶은 다르다. 듣기 좋은 말, 남의 생각 때문에 나의 소중한 감정을 놓치지 말자. 찰나의 순간을 붙잡는 글에 힘이 실리듯 나의 이야기가 가장 소중한 가치를 가진 것에 의미를 둘 때 삶과 글도 빛난다.

글쓰기는 무심에서 열심히 관찰하고 기록을 남기는 것이다. 주고받는 말과 이야기는 사라져도 기록하는 글은 남는다. 내 삶의 스토리를 엮어 나가자. 읽었던 책 속의 한 문장이 마음을 요동치게 할 때는 끄집어내고 그 문장에 의미를 되새겨 내 것으로 만들자. 책을 읽으면 어디 한 문장뿐이겠는가 문장은 또 다른 문장을 더 하게 된다. 책 속에 빠져들 때 문장은 자꾸 늘어난다. 책을 읽는 사람들은 책 속에서 사연들과 공감할 때 끄덕인다. 혼자 읽고 생각으로 끝나는 것 보다 읽고 생각한 문장을 누군가와 함께 이야기를 나눌 때 생각이 추가되어 글은 풍성해진다. 이때 한 문장은 생각들로 가득 채워지고 내 것이 된다.

글쓰기는 자신과의 대화

우리에게 주어진 시간 속에 가장 값진 것은 무엇일까?

나에게 주어진 시간에 책을 읽고 글을 쓸 수 있는 시간을 갖는 게 아닐까 생각한다. 책을 쓰는 사람은 이야기를 가진 사람이다. 부유한 삶, 스토리를 많이 가진 사람, 쏟아 낼 이야기가 있는 삶은 백지 위에 그림을 그려 내듯 무언가를 생각하고 관심을 두고 적어내는 것은 인생의 커다란 기쁨이다.

글을 쓰는 사람은 언제나 많은 생각과 질문을 간직하고 있다. 남들이 보지 못한 것을 보고 생각하며 관심과 관찰을 하기 때문이다. 글 쓰는 사람은 사람의 마음을 이해하고 공감할 때가 많다. 그래서일까? <이어령의 마지막 수업> 책 속 내용 몇 구절이 내 마음속에 울림을 주어 소개한다.

"보통 사람들은 죽음이 끝이지만 글을 쓰는 사람은 다음이 있어." 이 글은 글을 쓰는 사람은 다음이 있다는 말에서 작가들은 자신의 글을 남김으로써 죽어서도 세상 사람과 연결된다는 것으로 읽혔다.

"기록하는 것이 내 삶의 마지막 갈증을 채우는 일이야. 병원에 들락날락하는 시간에 글 한 자라도 더 쓰고 죽자. 내 육체가 사라져도 내 말과 생각이 남아있다면 나는 그만큼 오래 산 셈이지 않겠나." 이 글에서 "육체가 사라져도 내 말과 생각이 남아있다면 나는 그만큼 오래 산 셈이지 않겠나."에서 순간 가족과 친구를 생각하고 내 주변 사람들을 떠 올리게 되었다.

"좋은 글을 쓸 때 나는 관심, 관찰, 관계 평생 이 세 가지 순서를 반복하며 스토리를 만들어 왔네." 글쓰기에 관심을 두고 관찰하면 관계가 생긴다는 말도 소중하다. 이어령 선생님은 "똑같은 시간을 살아도 이야깃거리가 없는 사람은 산 게 아니야. 스토리텔링을 얼마나 갖고 있느냐가 그 사람의 럭셔리지."라며, 이야기가 있는 삶이 럭셔리한 삶이라 했다.

삶의 순간순간 기록이 쌓여 멋진 삶을 만든다. 공평하게 똑같이 주어진 시간 속에서도 글을 쓰는 사람은 언제나 삶에 집중한다. 남들이 보지 못한 것을 보고 생각하며 기록하기 때문에 럭셔리한 인생을 만들 수 있다. 글을 쓰는 삶을 럭셔리한 삶이라 생각하니 글쓰기의 힘듦도 이겨낼 힘이 생겼다. 주어진 시간 의미를 담아 보자. 시간은 인간이 쓸 수 있는 가장 값진 것이다. 모두가 어렵고 힘들고 해낼 수 없다고 여기는 글쓰기를 통해 책 속에 무언가를 담아내는 사람은 자신의 내면의 세계와 끊임없이 대화를 이어가는 큰 기쁨을 누리게 될 것이다. 정신생활이 풍부한 사람은 자신과 대화의 시간을 가지며 소중한 시간을 보낸다. 그때가 글 쓰는 시간이며, 그 시간이 바로 지금이다.

당신의 삶을

기록하면

하나의

작품이

된다.

-로제마리 마이어 델 올리보 -

재미있는 글쓰기 습관 들이기

이용규 작가

1인기업 이용규의인생이모작연구소 대표로서 인생이모작 수석코치로 활동하고 있다. '19년 말, 37년의 서울시 공직을 정년으로 퇴임하자마자 코로나 19가 펜데믹으로 왔다. 퇴직 전부터 준비한 인생이모작이 소용이 없었다. 이런 상황에서 닥치는 대로 배우고 책을 읽으며 행정 경험을 나누기로 하여 인생이모작 코치, 인생이모작 강사가 되었다. 지금은 예고 없이 찾아오는 사직이나 퇴직하는 사람들의 성공을 돕는 일을 하고 있다.

현) 1인기업 이용규의인생이모작연구소 소장
현) 한국코치협회 KAC 코치
행정컨설팅/인생이모작 동기부여 전문가

저서> 강사의 시대, 강의로 아웃풋 하라. 은퇴하자마자 반드시 해야 후회하지 않는 20가지 외 다수

이메일 : winsiwon@naver.com
블로그 : https://blog.naver.com/winsiwon
유튜브 : https://www.youtube.com/@TV-jm7mu

쉽게 글쓰기 접근방법

글 쓰자고 마음먹고 시작해 놓고 막상 연필을 들면 막막하기만 하다. 잘 쓰려니 어렵고 안 쓰자니 괴로운 것이 글쓰기인 것 같다. 전문 글 쓰는 작가도 어렵다는데 하물며 왕초보 글 쓰는 사람이야 오죽하겠나? 저 역시 그런 왕초보 중의 한 사람으로서 쉽게 글 쓰는 방법이 있을까 하나하나 배워가면서 그 과정을 나눔 하고자 한다.

1. 창의적인 생각을 유발할 수 있는 생활 습관들

글을 쓰려면 일단 글 주제를 무엇으로 할 것인지에 대해 생각해야 한다. 상투적이고 식상한 주제는 제외하고 독창적인 것을 쓰려고 하면 다양한 장르와 주제 글쓰기를 하는 동안 필요한 창의적인 생활 습관을 실행해 나가야 한다. 창의적인 생각을 유발할 수 있는 생활 습관은 다음과 같다.

첫째, 많은 독서를 해야 한다. 독서를 통해서 책을 읽으면서 새로운 아이디어와 시각을 얻을 수 있다. 둘째, 여행한다. 새로운 장소를 방문하고 다양한 문화와 경험을 즐기면 창의성이 자극될 수 있다. 셋째, 취미를 갖는다. 미술, 음악, 영화 등 새로운 취미를 배우거나 도전함으로써 창의적인 사고를 발전시킬 수 있다. 넷째, 운동한다. 신선한 공기를 마시며 운동을 하면 뇌에 산소가 공급되어 창의적인 생각을 도울 수 있다. 다섯째, 자유시간을 갖는다. 일상에서 잠깐의 자유로운 시간을 갖고 아무 생각 없이 쉬어주는 것도 창의성을 유발할 수 있다. 여섯째, 깊이 있게 생각한다. 자기관찰로서 자신의 감정과 생각을 깊이 생각하고 분석해보면서 창의적인 아이디어를 도출할 수 있다. 일곱째, 새로운 것에 도전한다. 새로운 것을 시도하고 실험해보면서 자신의 한계를 넘어설 수 있는 창의적인 생각을 얻을 수 있다.

2. 글쓰기를 위한 적극적인 아이디어 발굴 방법

아이디어 발굴 방법을 실천하면 글쓰기에 필요한 다양한 주제와 아이디어를 발굴할 수 있다. 자신에게 맞는 방법을 조합하여 창의적인 아이디어를 발전시켜 나가는 것이 좋다. 아이디어 발굴 방법은 다음과 같다.

첫째, 일상적인 생활에서 떠오르는 아이디어를 적어두는 목록을 작성하고 정기적으로 확인하면서 글쓰기에 활용할 수 있다. 둘째, 머릿속에 떠오르는 모든 아이디어를 필터링하지 말고 자유롭게 아이디어를 모두 기록하고 나중에 선별해 활용할 수 있다. 셋째, 광범위한 독서를 통해 다양한 장르와 주제의 책을 읽으면서 새로운 아이디어를 찾고 확장할 수 있다. 넷째, 웹사이트, 블로그, 포럼 등 인터넷을 통해 다양한 주제에 대해 검색하고 연구하여 다른 사람들의 아이디어와 의견을 참고하여 새로운 아이디어를 발굴할 수 있다. 다섯째, 사물, 사람, 장면 등 일상적인 주변 환경을 주의 깊게 관찰하고 새로운 경험을 쌓으면서 아이디어를 얻을 수 있다. 여섯째, 그림, 그래프, 다이어그램 등을 활용하여 아이디어를 시각적으로 정리하는 스케치 노트를 작성해 아이디어 발굴에 도움이 될 수 있다. 일곱째, 다른 사람들과 아이디어를 발표 공유하고 토론하는 시간을 가지면서 새로운 관점과 아이디어를 발굴할 수 있다. 여덟째, 일상적인 문제들을 해결하면서 아이디어를 발굴해보면 문제에 대한 새로운 시각과 해결책을 찾을 수 있다.

3. 노트에 아이디어를 기록하고 정리하는 방법

노트에 아이디어를 기록하고 정리하는 다섯 가지 방법을 소개하면 다음과 같다.

첫째, 다양한 주제 또는 카테고리에 따라 노트를 분리하여 사용한다. 예를 들어, 프로젝트, 여행, 읽을 책 목록 등 각각의 주제에 해당하는 노트를 따로 유지하여 아이디어를 정리할 수 있다. 둘째, 간단한 목록 형식을 사용하여 각 아이디어를 한 줄로 요약하여 빠르고 간편하게 확인할 수 있다. 셋째, 아이디어를 시각적으로 표현하기 위해 그림이나 다이어그램을 활용하여 단어와 문장 이외의 방식으로 아이디어를 기록하면 더욱 창의적인 연상이 가능하다. 넷째, 아이디어를 강조하여 빠르게 확인할 수 있도록 색상이나 형식을 활용하여 중요한 아이디어를 강조하거나 관련 아이디어를 같은 색으로 그룹화할 수 있다. 다섯째, 아이디어와 관련된 추가 정보나 유용한 링크를 노트에 포함하여 인터넷 검색 결과, 참고 자료, 관련 이미지 등을 첨부하여 아이디어를 더욱 풍부하게 정리할 수 있다.

이러한 방법들을 활용하여 아이디어를 기록하고 정리하면,

나중에 찾아보거나 활용할 때 편리하고 구조적으로 접근할 수 있다. 자신에게 가장 효과적인 방법을 찾아보고, 일관성 있게 아이디어를 관리해 나가는 것이 좋다.

글쓰기 도움 되는 도구 이용하기

1. 글쓰기를 하면서 참고할 수 있는 다양한 창작 도구들

글쓰기를 할 때 참고할 수 있는 다양한 창작 도구들에 대해 알아보면 글쓰기에 크게 도움을 받을 수 있다.

보편적인 글쓰기 작업을 위한 가장 기본적인 워드프로세서를 활용하는 것이다. 도구로 마이크로소프트 워드, 구글 워드 등이 있다. 다음으로 에버노트를 사용하여 다양한 노트를 작성하고 정리할 수 있는 디지털 노트 앱으로, 아이디어를 저장하고 관리하는 데 유용하다. 구글 드라이브를 활용하여 클라우드 기반의 문서 저장 및 공유 도구로, 여러 사람과 협업하거나 다양한 기기에서 접근할 수 있다. 맞춤법 검사 도구는 문법 및 맞춤법 검사를 지원하는 온라인 도구로,

글을 작성할 때 올바른 언어 사용을 도와준다. 이야기 구조를 글쓰기 전 전체적인 흐름을 계획할 수 있게 시각적으로 설계하고 순서를 정리하는 데에 도움을 주는 스토리보드나 과정, 절차를 시각적으로 표현하는 도구로, 글의 구조를 명확히 하고 내용을 체계적으로 전달할 수 있는 플로차트를 활용할 수 있다. 이러한 창작 도구들을 자신에게 맞는 도구를 선택하여 활용하여 글쓰기 작업을 더욱 효율적이고 창의적으로 수행할 수 있다.

2. 글쓰기를 하는 데 도움이 되는 문장 구조와 단어 선택 방법

글쓰기를 하는 데 도움이 되는 문장 구조와 단어 선택 방법을 살펴보면 다양한 문장 구조 사용이다. 간단한 주어-동사-목적어 구조 이외에도 다양한 문장 구조를 활용하여 글을 다채롭게 만들어간다. 예를 들어, 부사절, 형용사 절, 복합문 등을 활용할 수 있다. 글을 쓸 때는 문장을 간결하고 명확하게 작성하는 것이 중요하다. 복잡한 구문과 불필요한 단어를 최대한 줄이고, 간결하고 명료한 표현을 사용한다.

다양한 문법 구조를 사용하여 글을 다채롭게 만들어간다. 예를 들어, 비교급과 최상급, 간접 의문, 감탄문, 부정문 등을 활용하여 글을 풍부하게 만들 수 있다. 문장을 더 강력하게 만들기 위해 풍부하고 정확한 동사를 선택하여 강조, 설명, 움직임 등을 나타내어 문장을 생동감 있게 만들 수 있다. 다의어와 유의어를 적절히 활용하여 문장에 다양한 의미와 효과를 부여하여 글을 다채롭고 흥미롭게 만들 수 있다. 문맥과 목적에 적합한 어휘를 선택하여 문체와 분위기에 맞는 어휘를 활용하여 글을 읽는 사람에게 적절한 감정과 인상을 전달할 수 있다.

비유, 은유, 상징적인 언어적 장치를 활용하여 글에 깊이와 은유를 부여하여 상상력을 통해 독자의 상상력을 자극할 수 있는 표현을 사용해 나간다. 문장의 리듬과 흐름을 고려하여 글을 작성하면 문장의 길이와 구조를 다양하게 조절하면서, 글의 흐름을 매끄럽게 유지할 수 있다.

글을 더 생생하고 감정적으로 만들기 위해 감정과 감각을 담은 표현을 사용하면, 독자의 감정과 감각을 자극하는 언어를 활용하여 글을 더욱 생동감 있게 만들 수 있다. 글을 작성한 후에는 편집과 수정을 통해 문장 구조와 단어 선택을 개선하여 문장이 자연스럽게 흐르고 단어가 정확하게 표현되도록 주의 깊게 검토하는 것이 중요하다.

이러한 문장 구조와 단어 선택 방법을 활용하여 글을 더욱 풍부하고 효과적으로 작성해보는 연습과 경험을 통해 더욱 능숙해질 수 있다.

3. 글쓰기를 하는데 필요한 시간 관리 방법

글쓰기를 하는데 필요한 대표적인 시간 관리 방법 4가지를 소개하면 다음과 같다.

첫째, 일정 계획 세우기
글쓰기에 할애할 시간을 명확하게 계획하여 특정 시간대를 예약하여 글을 쓰는 시간을 확보하고, 다른 일정과 충돌하지 않도록 조정하는 것이다.

둘째, 집중을 위한 환경 조성
글쓰기에 집중하기 위해 조용하고 편안한 환경을 조성하여 방해 요소를 최소화하고, 작업 공간을 깔끔하게 정리하여 집중력을 높일 수 있다.

셋째, 시간 단위로 작업을 나누기
긴 시간 동안 글을 쓰는 것은 어려울 수 있다. 대신 작업을 짧은 시간 단위로 나누어 진행하는 것이 지루하지 않고 효과적이다. 예를 들어, 25분 동안 집중하여 글을 쓰고, 5분 동안 휴식을 취하는 "포모도로 테크닉"을 활용하면 효과가 배가될 것이다.

넷째, 우선순위 설정

글쓰기 작업을 시작하기 전에 우선순위를 설정하여 가장 중요한 부분부터 시작하여 순차적으로 작업을 진행하면서 시간을 효율적으로 활용할 수 있다. 마지막으로 글쓰기 작업 시에도 주기적인 휴식을 취하는 것이 좋다.

글쓰기에 집중하다 보면 지치거나 창의력이 떨어질 수 있다. 적절한 간격으로 휴식을 취하고, 몸과 마음을 새로고침하면 글쓰기에 효과적으로 시간을 할애하고 생산성을 높여 나갈 수 있다. 개인적인 습관과 선호도에 따라 적절히 조정하여 사용해보면 도움이 될 것이다.

4. 다양한 글쓰기 연습 방법

다양한 글쓰기 연습 방법은 자유 쓰기, 주제별 연습, 일기 쓰기, 편지 쓰기, 문장 연습, 블로그 운영, 명상 후 글쓰기,

공모전 도전, 피드백 받기 등 다양한 시도가 있다.

자유 쓰기는 주제나 제약 없이 자유롭게 글을 쓰는데 생각이나 감정을 자유롭게 표현하며 글쓰기에 대한 자신감을 키울 수 있다. 주제별 연습은 특정한 주제에 대해 글을 써보는데 예를 들어, 자기소개, 여행 경험, 책 리뷰 등 다양한 주제에 대해 글을 작성하여 글쓰기 능력을 향상시킬 수 있다.

일기 쓰기는 일상적인 경험을 일기 형식으로 기록해보는 것으로서 일기 쓰기는 글쓰기 습관을 기를 뿐만 아니라, 생각 정리와 자기 표현력을 향상시킬 수 있는 좋은 방법이다. 편지 쓰기는 가족이나 친구에게 편지를 써보면 감정과 생각을 깊이 전달할 수 있는 좋은 방법이며, 글쓰기에서도 감성과 표현력을 향상시킬 수 있다.

문장 연습은 다양한 글쓰기 기법과 문장 구조를 연습하는 것으로서 다양한 글쓰기 책이나 온라인 자료를 활용하여 문장을 다양하게 구성하는 방법을 익힐 수 있다. 블로그 운영은 자신만의 블로그를 운영하여 주제를 정하고 정기적으로 글을 쓰는 것은 글쓰기 습관을 형성하고 글쓰기 기술을 향상시키는 데 큰 도움이 된다.

명상 후 글쓰기는 명상을 한 후에 글을 쓰는 연습을 하는 것으로서 명상은 마음을 진정시키고 창의력을 자극하는 데 도움을 주며, 글쓰기에 새로운 아이디어를 불어넣을 수 있다. 작품 공모전이나 글쓰기 대회에 응모하여 자신의 글을 발표하고 평가를 받는 경험을 쌓을 수 있다. 피드백 받기는 자신의 글을 다른 사람에게 읽어주고 피드백을 받아보는 것으로서 다른 사람의 시각과 의견을 듣는 것은 자신의 글쓰기를 발전시키는 데 큰 도움이 될 수 있다.

적극적인 글쓰기 습관이 작가로 이어진다

1. 적극적인 피드백 수용 방법

적극적인 피드백 수용 방법에 개방적인 자세, 비판에 감사하기, 구체적인 피드백 요청, 객관적인 관점 채택, 피드백 활용하기 등이 있다.

개방적인 자세는 피드백을 받을 때 개방적인 자세를 유지하여 상대방의 의견을 듣고 받아들이기 위해 마음을 열어두고 예민하거나 방어적인 자세를 취하지 않는 것이 중요하다. 비판에 감사하기는 비판적인 피드백이라도 그것을 통해 자신의 부족한 점을 발견하고 개선할 기회로 받아들이라. 비판은 성장과 발전을 위한 중요한 도구다. 구체적인 피드백 요청은 피드백을 받을 때 특정 부분이나 측면에 대한 체계적인 피드백을 요청하면 상대방이 더 구체적이고 유익한 의견을 제공할 수 있다. 객관적인 관점 채택은 피드백을 받을 때 자신의 작품이나 글을 객관적인 시각으로 바라보는 것으로서 감정에 휩싸이지 말고, 피드백을 분석하고 개선할 부분을 식별하는 데 집중하라. 피드백 활용하기는 피드백을 받은 후에는 실제로 행동에 옮겨야 한다. 피드백에서 얻은 정보와 조언을 활용하여 작업물을 개선하고 자신의 글쓰기 기술을 발전시킬 수 있다.

2. 글쓰기를 할 때 자신의 목표와 대상 독자를 명확히 설정하는 방법

글쓰기를 할 때 자신의 목표와 대상 독자를 명확히 설정하는 방법은 목표 설정, 대상 독자 파악, 대상 독자에게 적합한 내용과 스타일 선택, 목표 독자에게 맞는 구성과 언어를 사용하는 방법이 있다.

먼저 글쓰기의 목적을 정하여 자신이 작성하려는 글이 어떤 목적이 있는지, 어떤 정보를 제공하고자 하는지, 어떤 메시지를 전달하고자 하는지 명확히 이해해야 한다. 대상 독자 파악은 자신의 글을 누가 읽을 것인지 파악하는 것이다. 대상 독자를 파악하는 것은 글의 언어, 스타일, 내용, 구조 등을 결정하는 데 매우 중요하다. 대상 독자는 나이, 성별, 교육 수준, 관심사 등 다양한 요소에 따라 달라질 수 있다. 대상 독자에게 적합한 내용과 스타일 선택은 대상 독자를 파악한 후, 그들이 이해하기 쉽고 흥미로운 내용과 스타일을 선택한다. 예를 들어, 어린아이들을 대상으로 하는 글이라면 간결하고 쉬운 언어와 그림을 활용하여 이해하기 쉽게 작성해야 한다. 목표 독자에게 맞는 구성과 언어 사용은 대상 독자를 파악하고 내용과 스타일을 선택한 후, 목표 독자에게 맞는 구성과 언어 사용을 결정한다. 예를 들어, 블로그 글이라면 제목과 부제목을 활용하여 내용을 구성하고, 목표 독자가 이해하기 쉬운 언어와 예시를 활용하여 글을 작성해야 한다.

3. 글쓰기를 하는 동안 필요한 창조적인 환경 조성 방법

글쓰기를 하는 동안 필요한 창조적인 환경 조성 방법은 조용한 장소, 올바른 조명, 음악, 공간 정리, 창조적인 자극, 브레인스토밍, 산책 등을 들 수 있다.

조용한 장소는 글쓰기를 할 때는 조용한 장소를 선택하여 소음이나 방해 요소가 없는 환경에서 글쓰기에 집중할 수 있다. 올바른 조명은 글쓰기에 매우 중요하다. 적절한 조명을 제공하는 램프나 창문이 있어야 한다. 음악은 글쓰기에 영감을 줄 수 있다. 자신이 좋아하는 음악을 선택하고, 그것이 집중력을 방해하지 않도록 소리를 적절히 조절한다. 글쓰기를 하기 전에 공간을 정리하면 정돈된 공간은 글쓰기에 집중할 수 있는 분위기를 조성할 수 있다. 창조적인 자극을 위해, 자신이 좋아하는 예술 작품, 사진, 영화, 책 등을 주변에 배치한다. 이것들은 글쓰기에 영감을 줄 수 있다.

글쓰기를 할 때는 브레인스토밍을 한다. 자기 생각과 아이디어를 종이에 적어놓고, 그것들을 조합하거나 수정하여 글쓰기에 활용한다. 글쓰기를 할 때는 자주 산책을 한다. 산책하면서 주변의 자연과 사람들을 관찰하면서, 글쓰기에 필요한 새로운 아이디어를 찾을 수 있다. 이러한 방법들을 활용하여 창조적인 환경을 조성하면, 글쓰기에 영감을 얻고 풍부한 아이디어를 발전시킬 수 있다.

4. 왕초보 글쓰기 경험 나눔

지금까지 글을 쉽게 쓰기 위한 다양한 방법을 살펴보았다. 이 방법으로 글을 쓴다면 잘 써질 텐데 그렇지가 않다는 것을 쉽게 알 수 있다. 매일 꾸준한 연습이 필요하다. 썼다가 지우기를 반복하고 수정하기를 많이 할 때 독자의 공감을 불러올 수 있는 글이 나온다. 한 번에 짠! 하고 나오는 글은 이 세상 어디에도 없다는 것을 유명 작가들의 말씀에서 쉽게 알 수 있다. 그럼에도 불구하고 인고의 세월을 견디고 습작을 반복하면서 수정을 수없이 하는 과정에서 좋은 작품이 나온다는 것을 인식해야 쉽게 글쓰기를 시작할 수 있다.

필자 같은 경우에 공저 책을 세 권, 전자책을 2권 내면서 깨우친 작은 경험은 매일 새벽에 한 페이지씩 쓴다. 매일 블로그 1편 이상 써서 블로그와 인생이모작연구소 오픈채팅방에 올린다. 1,600편의 블로그를 쓰면서 때론 좌절하기도 하고 이것을 왜 하느냐는 내면의 저항도 올라왔지만, 챌린지를 통해서 매일 하는 습관을 얻었다. 이 블로그를 기반으로 내가 쓰고 싶은 글을 뽑아서 같은 카테고리별로 모아 목차를 만들고 글을 편집한다. 아무것도 없는 상태에서 글을 시작하는 것보다 평소에 한 편씩 올린 글을 비슷한 내용을 모아 연결하고 편집하는 작업이 훨씬 쉽다. 평소 블로그를 올리는 내용은 내가 관심이 있고 잘 아는 분야를 쓰기 마련이니까 그때그때 올린 글에서 느낀 감정을 여과 없이 표현하고 성찰한 부분만 모아도 좋은 글이 될 수 있다는 것을 알게 됐다. 여러분도 오늘부터 블로그, 일기 쓰기를 시작해 보라.

6년 전 일기 플래너를 시작한 지 벌써 2,270일이 지났다. 힘들 때는 두 줄만 쓰고 넘겼다. 해외여행 때는 지나고 나서 일기를 몰아서 쓰기도 했다. 그렇게 계속한 일기가 6년 2개월이 지나면서 지금은 습관화되어 당일 안 쓰면 잠이 안 온다. 아침 일기를 시작하면서 오늘 할 일을 기록하고, 어제의 피드백을 맑은 정신에서 할 수 있어 좋다. 수시로 이벤트가 있을 때마다 구글 캘린더에 메모해 났다가 일기에 옮겨 적으며 잘못된 일이나 감사한 일, 성과나 느낀 내용을 정리한다. 양이 질을 구축한다는 말이 바르다고 인정한다. 많은 블로그를 올릴 때 좋은 글이 나올 수 있고, 쉽게 기록할 수 있는 자유 형식의 일기에서 글 쓰는 것이 어렵지 않다는 것을 스스로 깨닫는다.

일단 시작하라. 그러면 절반은 완성된 것이다. 나머지 절반을 매일 조금씩 써나가다 보면 어느새 책은 완성이 되어 있다. 혼자 하는 것보다 독서모임이나 책쓰기 모임에서 같이 하면 서로 경쟁도 되고, 격려하고, 피드백해 줄 수 있고 끝까지 계속해 나갈 수 있는 가두리가 되어 결국에는 해낼 수 있다.

아들을 변화시키는 엄마의 책쓰기 공부

임선경

20년 가까이 공직에 몸을 담고 있는 직장인이기도 하지만, 초등학생 아들을 둔 엄마로의 삶을 살고 있다.

책을 내기 위해 글을 쓰기 시작하니 아들도 자기만의 언어로 노트에 글을 쏟아 내기 시작하는 것을 보며 역시 보여주는 힘은 대단하다는 것을 느낀다. 엄마 작가로서 아들에게 책으로 새로운 세상을 보여주기 위해 오늘도 글을 쓴다.

저서 : 『강사의 시대, 강의로 아웃풋 하라』

작가로의 도전

1. 독서의 꿈을 시작으로 작가 되다

"내 꿈은 책을 한 권 내는 거야"

내 나이 27살, 작은 회사에서 컴퓨터 프로그래머로 살던 그 시절, 어느 날 직장 후배와 버스를 같이 타면서 이런 말을 했던 기억이 어렴풋이 남아있다. 책 한 권 제대로 읽지 않았던 내가 대체 무슨 생각으로 그런 말을 했을까? 지금 생각해도 웃음이 나온다. 책을 쓰는 것이 어떤 것인지 깊이 생각해 본적도 없이 그저 막연하게 했던 말이었다. 시골에서 보낸 초등학교, 중학교 시절. 조그만 동네에서 그나마 글 쓰는 실력이 다른 아이들보다 조금 나았던 나의 어린 시절의 추억으로 발단이 된 그야말로 실행력 제로의 꿈 같은 생각이었다.

2000년 1월 1일, 1999년에서 맨 앞자리가 2로 바뀜에 따라 온 세상이 컴퓨터의 연도 인식이 잘못되어 사회시스템이 마비되지는 않을지 큰 관심이 쏠리게 된 Y2K 일명 밀레니엄 버그(프로그래머나 기업들이 비용 절감을 위해 컴퓨터나 반도체의 연도를 끝의 두 자리만 인식하도록 설계하여 반도체 칩이나 컴퓨터 프로그램이 2000년을 1900년으로 오인해 사회시스템이 마비되는 현상)로 대혼란의 갈림길에 서 있었고, 나 역시 프로그램 개발 프로젝트로 S 전자에서 밤을 새우던 그 시기였다. 새벽 6시에 출근 버스를 타기도 하고, 맡은 일을 그날그날 헤쳐나가기에 바쁘던 그때엔 며칠간 프로젝트가 진행되는 회사에서 밤을 새우기도 했다. 한 프로젝트가 끝나면 다른 회사로 이동하여 또 다른 프로젝트를 맡아 하던 내 삶에는 "고객"이 중심을 차지했을 뿐 정작 "나"는 없었다. 오로지 고객의 일과 일정이 나의 삶 전체를 좌지우지하고 있었다.

책을 읽어야 한다는 생각은 늘 하고 있었다. 하지만 바쁜 업무로 책에 관한 생각은 가슴 한편에 묻어둔 채 당장 눈앞에 놓인 업무에만 몰두하며 하루하루를 살아야만 했다. 그런 내가 20년이 넘는 긴 시간이 흐른 2023년, 드디어 작가가 되었다. 그동안 일이 바빠 미뤄두었던 독서에 불씨가 되살아나, 막연하게 했던 책을 쓰겠다는 생각이 현실이 되어 작가로의 발을 디디게 되었다. 우연이 필연이 된다고 했던가! 독서를 해야겠다고 생각하고 있을 무렵, 블로그를 통해 해피꿈북클럽을 알게 되었다. 내가 원하던 바로 그런 독서 모임이라는 생각이 들어 보자마자 참여 신청을 하게 되었고 해피꿈북클럽 프로그램에 참여하면서 독서만 하는 것이 아니라 강의와 책쓰기를 하는 기회까지 얻을 수 있었다.

2023년 드디어 《강사의 시대, 강의로 아웃풋 하라》 공저 책을 쓰면서 초보 작가가 되었다. 독서법에 대한 책쓰기 기회가 이미 있었지만, 겨우 독서에 걸음마를 시작했던 터라 책쓰기는 내가 도전할 수 있는 영역이 아니라고 생각했다. 책을 쓴다는 것에 대한 자신감이 있을 리 만무했고 시간이 없다고 핑계를 대며 못한다는 것에 대한 합리적인 이유를 만들어 스스로를 위로하며 책쓰기에 대한 기회를 잡지 않았다. 두 번째 기회가 왔을 때 용기를 내고 나도 책을 써보기로 했다.

처음 공저로 책을 쓸 때는 막막했다. 그러다 '일단 한 문장이라도 써보자!'라는 생각을 하며 한 문장씩 쓰게 되었고, 어느새 전체 글을 완성할 수 있었다. 처음엔 초고를 썼다는 자부심에 들떠 있었는데 해피꿈북클럽의 리더인 박성옥 교수님의 피드백을 받고 나서는 큰 충격을 받았다. 초고는 그야말로 쓰레기에 불과했다. 그렇게 초고를 쓴 내가 부끄러울 정도였으니까. 교수님의 피드백을 여러 번 받으면서 처음 글을 철저히 분해하여 다시 조립하고 다듬는 과정을 거쳐 내 글은 완전 새로운 글로 다시 태어났다. 어떤 부분은 통째로 날리기도 하고 추가로 새로운 글을 쓰기도 했으며 글의 순서를 바꾸기도 했다. 내가 쓴 글을 나만 읽게 되면 내 안의 한계에 갇히게 된다. 전문가의 피드백을 받으면 내가 잡지 못한 방향을 다시 세울 수 있고 새로움을 더해 더욱 좋은 글이 탄생하게 된다. 나 또한 그런 도움을 받아 책을 출간할 수 있었다.

2. 엄마 작가가 아들 작가를 만든다

나는 늦깎이 엄마로 초등학교 1학년생인 아들이 있다. 스스로는 책을 읽을 생각이 전혀 없고, 글을 쓰는 것은 학교에서 내주는 숙제인 한 주 한 편의 독서록을 겨우 쓰는 것이 전부인 그런 아이다. 그야말로 놀기 좋아하는 보통의 아들이다. 첫 번째 공저 책이 출간되었을 때, 나는 출간기념회에 아들을 데리고 갔다. 그곳에서 많은 작가를 만나고 사인회를 하는 엄마의 모습이 아들에겐 책에 대한 자극제가 되었을까! 출간기념회가 끝난 후 매일 책을 읽고, 책상에 앉아 글을 쓴다고 하니 어느 날부터 아들 행동이 달라졌다. 내 옆에 다가와 자기 노트를 꺼내 들고 글을 쓰기 시작했다. 무엇을 쓰는지 물어보니 시를 쓴다며 뚝딱뚝딱 한 페이지를 두 개의 시로 채우는 것이다. 그러면서 자신을 작가라고 썼다. 책을 읽을 생각도 하지 않고 놀기만 좋아했던 초등학교 1학년 아이는 자신이 쓴 시를 내밀며 씽긋 웃었다.

작가: 김슬우

제목: 물
물은 소중하지만, 위험하다.
왜냐면 물 토네이도는 무서우니까.

제목: 모래
모래는 부드럽다.
하지만 모래는 위험하다.
왜냐면 눈에 모래가 들어가면 충혈이 되니까.

아들이 생애 처음 쓴 시는 간단하지만, 나름 운율이 들어 있고, 아이다운 순수함이 묻어난다. 글을 쓰는 것을 좋아하지 않던 아이가 글을 쓰는 엄마를 보며 갑자기 자기도 작가라며 글을 쓰겠다고 하니 놀라운 일이 아닐 수 없다. 역시 부모가 먼저 보여주어야 한다는 것을 새삼 깨닫게 된 시간이었다. 이제는 박물관에 가서도 글을 써야 한다고 노트와 연필을 사달라고 한다. 그리고 역사 지식을 총동원하여 새로 산 노트에 몇 페이지를 나라 이름과 위인들로 가득 채우며 글을 쓴다. 변화하고 있는 아이를 보며 꾸준하게 글을 쓰는 엄마의 모습을 보여주며, 아들에게 책과 함께 하는 인생의 나침반을 쥐여주고 싶은 욕심이 생겼다.

책쓰기의 기본기

1. 책쓰기에 갖춰야 할 것들

우리가 책을 쓰고자 할 때 먼저 갖추어야 할 것은 무엇이 있을까? 짧은 나의 경험과 책에서 얻게 된 지식으로 책쓰기에서 갖추어야 할 세 가지와 글쓰기 기본에 관한 생각을 나눠보려 한다.

1) 책쓰기를 위해 갖추어야 할 세 가지 항목
첫째, 나만의 절실한 동기를 세워라.
어떤 일이든 절실함을 탑재했을 때 반드시 그것에 관한 결과를 얻을 수 있다. 그리고 자기도 알 수 없는 힘으로 놀라운 결과를 만들어내곤 한다. 책을 쓰는 것도 마찬가지다. 책을 쓰고 싶다는 막연한 희망만으로는 책을 쓰는 긴 작업을 감당해낼 수 없다. 시작은 할 수 있으나 끝을 볼 수 있을지 미지수다. 나만의 절실한 동기를 세우고 되새겨야만 기나긴 고통의 시간을 견디고 책이라는 열매를 맺을 수 있다.

둘째, 글 쓰는 공간을 강제하라.

조정래 작가, 이외수 작가 등 유명 작가들은 자기만의 글 감옥을 가졌다고 한다. 이것은 공간이 될 수도 있고, 시간을 의미할 수도 있다. 글을 쓸 수 있는 자기만의 공간이나 시간을 정해서 글쓰기를 강제해야만 책을 쓸 수 있다는 것이다. 일반적으로 사람들은 강제하지 않은 환경에서는 나도 모르게 늘어지고 옆에 놓여 있는 스마트폰을 수시로 쳐다보기 마련이다. 스마트폰에서 작은 소리가 나면 메시지가 들어왔는지, 또 메시지가 왔다면 어떤 내용인지 보고 싶고, 오늘은 어떤 뉴스가 있는지 계속 확인하게 된다. 스마트폰이 옆에 있는 것만으로도 자신을 통제할 수 없는 환경이 되어 버린다. 일정한 시간이나 공간을 정하고 글을 쓰는 데에 방해되는 물건을 나한테서 격리를 해야만 온전히 그 시간을 글을 쓰는 데 집중할 수 있다.

셋째, 쓰는 것을 두려워하지 마라.

스스로 생각하기에 전문가도 아닌데 어떻게 책을 쓰나 하는 의문을 가질 수 있다. 그러나 자료를 완벽하게 조사하여 전문가 수준으로 올라선 다음에야 책을 쓰려고 하면 영영 책을 쓸 수가 없다. 어차피 내가 쓰는 책은 입문자 레벨의 사람이 보기 마련이다. 어느 정도 준비가 됐다면 초보자가 볼 수 있는 수준의 책이라도 일단 써야 한다. 그러므로 쓰는 것에 대해 두려워하지 않아도 된다.

2) 글쓰기의 기본 원칙

첫째, 프렙(PREP)을 적용하여 쓴다.

PREP은 P(주제)-R(이유)-E(예)-P(주제강조)로 글을 전개하는 것을 말한다. 《쓰기의 공식, 프렙!》에서 임재춘 작가가 말하는 PREP을 좀 더 자세히 말하면 다음과 같다.

① P(Point): 핵심 내용을 주장한다.
② R(Reason): 주장을 뒷받침하는 근거로 이유를 설명한다.
③ E(Example): 근거를 증명하기 위해 예를 제시한다.
④ P(Point): 핵심 내용을 강조한다.

PREP의 이해를 돕기 위해 PREP을 적용한 아주 간단한 예시를 들어본다.

개는 사람과 가장 친근한 동물이다. (P)

왜냐하면, 개는 사람에게 잘 반응하기 때문이다. (R)
개는 사람이 집에 들어가면 꼬리를 치며 반갑게 맞아준다. (E)
그러므로 개는 사람한테 가장 친근한 동물이라 할 수 있다. (P)

유명 강사들의 강의가 더 생생하게 와닿는 것은 주장과 주장을 뒷받침할 적절한 사례를 예를 들어 말하기 때문이다. 글을 쓸 때도 마찬가지다. 주장이 있으면 이유를 설명하고 그에 대한 적절한 예를 들어 주어야 한다. 마지막엔 주장을 다시 한번 강조하는 것으로 마무리하면 된다. 위의 예시는 아주 간단한 문장으로 표현을 했지만 이러한 흐름으로 쓰는 것이 바로 프렙 글쓰기이다. 책을 쓸 때도 이 기술을 유용하게 적용할 수 있을 것이다.

둘째, 많이 읽어야 한다.
《유시민의 글쓰기 특강》에서 유시민 작가는 "많이 읽지 않으면 잘 쓸 수 없다. 많이 읽을수록 더 잘 쓸 수 있다."라고 말한다. 논리 글쓰기의 첫걸음은 텍스트 요약으로, 첫걸음을 똑바로 내딛으려면 텍스트를 신속하고 정확하게 독해할 수 있어야 하므로, 글을 쓰고 싶다면 먼저 글을 많이 읽어야 한다는 것이다.

셋째, 많이 써야 한다.

《유시민의 글쓰기 특강》에서 유시민 작가는 "쓰지 않으면 잘 쓸 수 없다. 많이 쓸수록 더 잘 쓰게 된다."라고 말한다. 그런데 쓰는 것도 연습이 필요하다. 매일 일정한 시간을 들여 쓰는 연습을 해보자. 그러면 시간은 언젠가는 우리의 글쓰기 실력으로 보답할 것이다.

2. 책쓰기의 세 가지 법칙

책을 쓰기 위해서는 무엇을 알아야 할까? 책을 쓰기 전에 세 가지 선행되어야 할 사항이 있다.

첫째, 나만의 콘셉트를 정하라.

책을 쓰고자 했다면 그럼 무엇을 쓸 것인가. 책을 쓰는 목적이 자기만족을 위한 것일 수도 있겠으나, 일단 책을 썼다면 누군가는 읽어주어야 그 책은 책으로서 더욱 빛이 날 것이다. 그렇다면 무엇이 있어야 할까? 나만의 특별한 콘텐츠가 필요하다. 그리고 콘텐츠를 한 문장으로 표현할 수 있는 한 가지, 바로 콘셉트가 있어야 한다. 누구나 책은 쓸 수는 있다. 하지만 사람들이 읽고 싶은 책은 다르다. 사람들에게 읽히기 위한 책을 쓰려고 한다면 나만의 콘셉트를 먼저 잡아야 한다. 그리고, 어떤 독자에게 읽힐 책인지 구체적으로 독자층을 선정한 후 그들에게 맞는 콘셉트를 잡는 것이 중요하다.

《하루 1시간, 책쓰기의 힘》에서 이혁백 저자는 '누구를 위해 책을 쓸 것인가'라는 말콤 글래드웰의 말을 인용하며 '그에 대한 답이 나왔을 때 비로소 올바른 책의 콘셉트가 설정된다'라고 말하며 다음과 같이 강조한다.

"얼마나 많은 사람에게 영향을 미치는가보다는 누구에게 영향을 미치는지가 중요하다."

둘째, 끌리는 제목으로 집중시켜라.

콘셉트를 확실히 정했으면 그 콘셉트를 한눈에 표현하는 것이 바로 제목이다. 또한, 베스트셀러의 80%는 제목에 있다고 하니 제목이 중요하지 않을 수 없다. 그렇다면 광고 카피처럼 독자에게 끌릴만한 제목을 어떻게 지을 수 있을까? 먼저 기존 베스트셀러 제목을 살펴보고 머릿속으로 제목에 관한 생각을 지속해서 해야 한다. 내가 의식하고 있을 때만이 길을 걷다 우연히 보게 되는 간판, 풍경 또는 대화 속에서 좋은 문구가 생각날 수 있기 때문이다.

《아프니까 청춘이다》(저자 김난도), 《죽고 싶지만 떡볶이는 먹고 싶어》(저자 백세희), 《나는 까칠하게 살기로 했다》(저자 양창순), 《언어의 온도》(저자 이기주) 등의 이 제목들은 쉬운 단어로 되어 있지만 독특하면서 신선한 문장으로 사람들의 관심을 끌고 있다. 《역행자》(저자 자청)처럼 강력한 한 단어로 관심을 집중시키는 책 제목도 있다. 독자의 마음을 움직이게 하려면 제목을 짓는 데에 심혈을 기울여야 한다는 것은 두말할 필요가 없는 것이다.

셋째, 먼저 전체 그림을 그려야 한다.
튼튼한 건물을 지으려면 우선 설계를 잘해야 하듯이 책쓰기도 마찬가지다. 책의 설계도를 나타내는 것이 바로 목차다. 콘셉트를 정했다면 목차를 잘 구성하여 책의 짜임새를 튼튼하게 갖추어야 한다. 다행인 것은 글을 쓰면서 목차를 변경할 수 있다는 것이다.

책을 쓰기 전에 우선 가목차라도 잡고 시작해야 한다. 그리고 일단 써야 한다. 처음부터 잘 쓸 수는 없다. 목차는 글을 쓰다 멈췄을 때 다시 돌아가서 쓰는 데 필요한 이정표 같은 역할을 한다. 그래서 책의 전체 그림인 목차를 먼저 잡아야 한다.

그럼 실제 책을 쓸 때는 어떻게 해야 할까? 여기서도 세 가지 법칙이 존재한다.

  첫째, 한 번에 훅 써라.

  '물 들어올 때 노 저어라'라는 말이 있다. 글쓰기에도 흐름이 있다. 한 번 글을 쓰게 되면 훅 써질 때가 있는데, 그 흐름으로 한 번에 글을 써야 한다. 어차피 책을 완성하기 위해서는 계속 고쳐 써야 한다. 고쳐 써야 한다는 것은 우선 한 번은 처음부터 끝까지 쓴 글이 있어야 가능한 것이다. 글을 쓰는 데 있어 하나의 영감이 떠오른다면 주저 없이 써 내려가야 한다. 오타가 생기거나 맞춤법이 틀려도 일단 쓰는 것이 중요하다. 퇴고 과정을 또 거치기 때문에 초고를 쓸 때는 멈추지 말고 일단 끝까지 써야 한다.

  둘째, 일상어로 최대한 쉽게 써라.

  《대통령의 글쓰기》의 저자 강원국 작가는 말하듯이 쓰라고 한다. 왜냐하면, 말하기가 글쓰기보다 쉽기 때문이다. 책을 읽는 사람이 쉽게 이해하는 것은 글보다는 말이다. 말을 하는 것처럼 써야 술술 읽히게 되는 것은 당연지사다. 특별한 꾸밈이 없이 너무 욕심내지 않고 쓰게 되면 읽기 쉽게 되는 것이다. 쉽다는 것은 대중이 접하기에 좋다는 책이라는 의미다. 그러므로 책을 쓸 때는 일상어로 최대한 쉽게 써야 한다.

셋째, 퇴고할 때는 꼼꼼하게 하라.

퇴고를 잘하기 위해서는 초고를 쓴 다음 일정 시간 동안 그 글과 떨어져 있어야 한다. 퇴고는 초고와는 다르게, 썼던 글을 계속 고치는 작업의 연속이다. 전체적으로 하고자 하는 말이 제대로 들어갔는지, 흐름은 매끄러운지 꼼꼼하게 살펴보아야 한다. 그리고 꼭 소리 내서 읽어 보아야 한다. 그래야 문맥이 어색한 부분은 없는지, 읽기에 자연스러운지 객관적으로 확인할 수 있다.

책쓰기로 변화되는 삶

1. 책쓰기는 인생 기록의 시작

책을 쓰게 되면 실제 책을 쓰는 시간보다는 자료를 찾고 또 쓰기 위해 방황하는 시간이 대부분을 차지한다. 나 또한 책을 쓸 때 관련 책을 읽느라 많은 시간을 보낸 듯하다. 막상 실제로 책을 쓰는 시간은 자료를 찾는 시간에 대비하면 그다지 긴 시간이라 말할 수 없다.

《팔리는 책쓰기 망하는 책쓰기》에서 장치혁(레오짱) 저자는 '당신이 책을 쓸 때 벌어지는 일'을 다음과 같이 말을 하고 있다.

　▶ 책이 안 써져서 방황하는 시간 25%

　▶ 책 낸 사람들 부러워하기 10%

▶ 자료 찾는다고 인터넷, 유튜브, SNS 서핑하기 40%

▶ 주변에 집필 중이라고 떠들고 다니기 10%

▶ 실제 책을 쓰는 시간 15%

이것을 극복하게 되면 나도 작가가 될 수 있다.

그럼 시간과 정성을 들여 책을 쓰면 과연 나에게 남는 것이 무엇일까? 무엇을 얻고자 우리는 책을 쓰려고 하는 것인가?

먼저 책을 쓰면 스스로 공부를 하게 된다. 모르는 것을 알기 위해서 책을 읽게 되고 아는 것은 좀 더 많이 알기 위해 책을 읽고 공부하게 된다. 그리고 아는 지식을 스스로 정리하게 돼서 지식이 좀 더 체계화된다. 나도 책을 쓰면서 관련된 여러 책을 읽고 정리하는 작업을 거쳐 나만의 콘텐츠로 재탄생 시킬 수 있었다.

또한, 나를 소개할 수 있는 브랜딩이 되며 근사하게 나를 홍보할 수 있는 명함이 된다. 내 아이가 엄마는 작가라고 하고, 아직은 부끄럽지만 다른 가족들도 나를 작가라고 이야기를 한다. 첫 번째 공저 책 《강사의 시대, 강의로 아웃풋 하라》가 출간되어 조심스럽게 가족들에게 선보였을 때, 조카들에게 책에 사인해달라는 요청을 받고 갑작스럽게 생애 처음으로 작가로서 책자에 사인하게 되었다. 가족 내에서 공식적인 작가가 된 것이다. 책을 쓰기 전과 한 권의 책을 건넨 후의 가족들이 나를 보는 시선은 다르다. 내 가족만 봐도 이러한데 다른 사람들에게 책으로 나를 소개한다면 그것은 더 말할 필요가 없다.

마지막으로 글을 쓰는 것이 생활화되고 그것은 특별한 나의 인생 기록이 된다. 책을 쓰기 시작하면서 한 달 동안 매일 글쓰기에 도전하며 몇 년 동안 숨죽어 있던 블로그에 숨을 불어 넣듯 글을 쓰기 시작했다. 이제는 한 달 글쓰기 도전을 끝내고 처음 시작하는 마음으로 내가 쓰고자 하는 주제를 다시 정해 새로운 블로그를 개설하고 글을 쓰고 있다. 매일 글을 써야 한다는 생각이 어느새 나의 일상으로 자리 잡게 되었다. 이 글들이 쌓이고 1년, 2년이 지나 시간도 함께 쌓이면 그것은 분명 나의 인생 기록으로 남게 될 것이다.

2. 작가로 사는 삶, 그리고 실행

직장생활과 육아를 핑계로 늘 뒤로 미뤄놨던 독서를 제대로 해보고자 마음먹었던 때가 2021년 12월에 들어서면서부터다. 2년이 채 되지 않은 시간이다. 인생의 변화를 위해 독자로서 독서를 하는 것에 머물렀던 내가, 이제는 책을 쓰는 작가가 되었다. 작가로서 꾸준히 글을 쓰려면 하루 30분이라도 글을 쓰는 습관을 들이고 생활화해야만 지속할 수 있다. 그래야만 더 나은 작가의 반열에 오를 수 있다는 것도 자명하다.

그런데 책을 쓰고자 하는 데에는 두려움이 따른다. 내가 과연 할 수 있을까? 하는 의심병이 먼저 드는 것도 자연스러운 일이다.

유시민 작가는 《유시민의 글쓰기 특강》에서 "두려움을 이기는 가장 좋은 방법은 글쓰기에 익숙해지는 것입니다"라고 말했다.

첫 번째 공저 책을 쓸 때 도저히 엄두가 나지 않았지만 쓰려고 하니 캄캄한 동굴 속에 새어드는 한 줄기 빛처럼 조금씩 방법이 보이기 시작했다. 그래서 쓰고, 다시 쓰고를 반복하다 보니 어느새 내가 원하는 글을 쓸 수 있었고 나만의 글을 쓰는 방법도 터득할 수 있었다.

초등학교 1학년 생애 첫 여름방학을 맞이한 아들이 학교에서 작성해 온 생활계획표에는 빼곡한 시간 속에 글쓰기 3시간, 책읽기 1시간이 황금 같은 오후 시간에 떡하니 자리 잡고 있다. 물론 지켜질 수 없는 계획이라는 것을 안다. 하지만 엄마가 글을 쓰는 모습을 보며 아이가 글을 쓰겠다고 생각하는 것은 삶의 큰 변화가 아닐 수 없다. 내 옆에서 매일 글을 쓰겠다는 아이의 모습을 바라보며 더욱 작가로 사는 삶을 보여주어야겠다는 생각이 든다.

괴테는 "생각하는 것은 쉬운 일이다. 하지만 행동하는 것은 어려운 일이다. 생각한 대로 행동하는 것은 더욱 어려운 일이다"라고 말하였다. 작가로 사는 삶을 산다는 것은 꾸준함과 실행이다. 나는 오늘도 글을 쓰고, 또 내일도 글을 쓸 것이다. 그리고 나의 인생과 늦깎이 엄마로서의 나의 삶, 나와 비슷한 길을 걸어갈 그들에게 말해 주고 싶은 것들에 관한 책을 또 펴낼 것이다. 작가로 사는 삶을 통해 많은 사람에게 선한 영향력을 줄 수 있는 앞으로의 내 삶을 기대해본다.

위대한 글쓰기는
존재하지 않는다.
오직
위대한 고쳐쓰기만
존재할 뿐이다.

- E.B.화이트 -

책쓰기로 작가 되기

정현아 작가

몸과 마음을 건강하게 만들어 주는 방법으로 뇌 측정과 훈련, 생각 미술프로그램, 독서와 책쓰기를 경험하고 힐링하고 함께 나누는 일을 한다.

'강남구 소비자저널' 스마트방송 전문기자로 활동하며, 진실한 정보를 전달하고 다양한 이야기와 관심을 통해 이해와 공감을 촉진하는 일을 하고 있다.

　저서로는 '어서와, 기자는 처음이지'와 공저 4권(100일간
의 두드림 날개를 펼치다, 배움이 이끄는 삶, 독서법으로 삶
을 리드하라. 강사의 시대 강의로 아웃풋 하라)이 있다.

나를 치유하는 책쓰기

인생 방황 길에서 '누군가 내 길을 알려주면 얼마나 좋을까?'라는 생각을 많이 했었다. 그래서 그런지 나에게도 인생 언니가 있으면 좋겠다는 생각으로 '언니, 갖는 것이 소원이에요'라는 말을 자주 하곤 했었다. 그러나 현실에서 맞춤형 멘토, 공감하고 마음을 나눌 수 있는 진정한 인생 언니를 만나기는 쉽지 않았다. 그렇다고 좌절할 일은 아니다. 인생 언니, 멘토 대신 책을 만났다.

책을 만나다 보니, 책을 통해 새로운 인맥을 만들 수 있었으며, 이를 통해 삶을 더 풍요롭게 만들 수 있었다. '좋은 책을 읽는 것은 지난 몇 세기에 걸쳐 가장 훌륭한 사람들과 대화하는 것과 같다.'라고 데카르트는 말했다. "사람은 책을 만들고 책은 사람을 만든다." 나를 위로해 주었던 책이 이제는 누군가를 위로해 줄 수 있는 책쓰기가 되었다. 더 나아가 나를, 너를 만들어 가는 책쓰기를 알리기를 원한다.

한때는 '나도 책을 쓸 수 있을까?'라는 의문을 가졌었다. 포기하지 않고 따라가다 보니 벌써 시리즈 5로 계속해서 책쓰기를 하고 있다. 삶을 세분화하여 주제를 선정하여 책으로 이야기를 담아 글을 쓰니 책이 되어 나오는 과정을 경험하게 되었다. 책쓰기로 자아 성찰의 기회로 삼을 수 있다, 이제는 성장을 넘어 성숙한 책쓰기를 위해 지식을 정리하는 과정에서 지식을 넓히며 전문적인 책쓰기를 도전해 보고자 한다. 자기의 일과 관련된 책을 쓰면 그 분야의 전문가로 인정받을 수 있다. 책쓰기의 경험으로 자존감이 향상되고 퍼스널 브랜딩이 가능해졌다.

책쓰기에 필요한 준비물은 결심이다. 함께하는 공저 쓰기로 책쓰기 시작해 보는 것은 좋은 방법 가운데 하나이다. 타인에게 상처받고 영향받는 나에게서 내 안의 슬픔에 압도당하지 않고 당당해지는 내가 되고 싶었다. 때론 누구를 당당하게 만들어 주는 것을 책쓰기를 통해 가능하다.

글쓰기의 목적은 긍정의 힘을 얻는 데 있다. 마음의 고통은 글로 표현함으로써 감정을 조절하고 자신의 지혜와 직관을 만나는 데 도움을 줄 수 있다. 자기 스스로 힘을 얻기도 하지만 다른 사람을 보며 힘을 얻기도 한다. 치유를 통한 마음의 평화를 원한다면 펜과 종이에 글을 쓰겠다는 각오를 하자.

직장 생활할 때는 '슬럼프'가 왔었고, 결혼 후에는 내가 어찌하지 못하는 환경으로 '번 아웃'이 왔었다. 다 타고 없어진 상태로 의지도 없고 지칠 대로 지친 상태로 번 아웃이 된 것이다. 과도한 스트레스로 우울증도 찾아왔다. 우울증은 손님이니 반갑지 않은 손님은 배움을 통해 취미로 내보내 버리려 노력했다. 직장생활이나 가정생활의 슬럼프나 번 아웃을 스스로 이겨낼 수 있어야 한다. 자리를 박하고 일어나 밖으로 나가서 산책하며 숨 한번 크게 쉬어 보기, 힘차게 달려보기는 기분 전환에 좋다.

제2차 세계대전 때 연합군을 승리로 이끈 영국의 윈스턴 처칠은 스트레스 해소를 위해 취미로 그림을 그렸다고 한다. "천국에 가면 처음 100만 년은 그림을 그리는 데 쓰겠다"라는 말을 남긴 그는 1965년 죽기 전까지 550점의 작품을 남겼으며 그 그림은 지금도 고가로 거래되고 있다고 한다.

산책하기, 그림 그리기와 함께 7분 이상 하면 스트레스가 67% 줄어든다는 독서를 병행하는 것도 좋다. 한 권의 책을 정독하거나 그저 즐거움을 위한 독서를 하다 보면 지칠 수 있다. 그러나 책쓰기를 위한 독서는 목표가 명확하므로 지치지 않는다. 작고 단순한 즐거운 목표로 반복하면 기본기가 자연스럽게 만들어진다.

목적은 삶을 이끌어 줄 수 있다. 박문호 뇌과학박사는 인간이 불가능한 두 가지는 타인의 얼굴을 보고 느낌이 안 생기는 것과 목적 없는 행동을 하는 것이라고 말했다. 어떤 목적을 가지는 것은 인간의 당연한 이치다. 목적은 실현하려고 하는 일이나 나아가는 방향이고 목표는 어떤 목적을 이루려고 지향하는 실제적 대상을 말한다. 방향성의 목적을 가지고 실제적인 독서를 해보겠다는 목표로 나아간다면 얻어지는 것은 분명하게 있다.

이러한 목적이 생따나비 독서모임과 해피꿈북클럽을 만나면서부터 전략적 독서와 책쓰기로 적극적으로 책을 읽으며 목표를 이루어 나가고 있다. 책쓰기를 위한 독서의 최종 결과물인 '나만의 책'도 준비하고 있다. 명함 대신 책을 선물할 수 있도록 준비한다.

독서가 도움이 되는 이유는 책을 읽고 영감을 받아 자기 생각의 폭을 넓히고 삶에 적용해 자신만이 가지고 있는 배경지식과 자신이 처한 상황에 맞추어 재해석하고 적용하여 나만의 지식으로 발전시키는 과정이 되기 때문이다. 이런 과정이 있어야 독서를 통해 삶을 더욱 좋은 방향으로 발전시킬 수 있다. 책을 읽다가 떠오르는 아이디어가 있다면 노트에 적어 두는 것이 좋다. 아이디어는 휘발성이기에 기록하지 않은 영감은 빨리 없어지므로 빠르고 구체적으로 메모하는 것이 좋다.

책쓰기는 마음의 치유를 돕는다. 읽다 보면 스트레스가 해소되고, 쓰다 보면 마음이 정리되는 것을 경험할 수 있다. 치유 과정을 거치면 책을 통해 자신의 삶을 개척할 힘이 생긴다. 유명해서 책을 쓰는 게 아니다. 책을 쓰다 보면 성장하고 유명해진다. 유명하지 않아도 책을 쓸 수 있다. 자신감을 얻는 것이 중요하다. 네이버에 자신의 이름을 검색했을 때 자신이 쓴 책과 함께 이름이 나오는 것만으로도 기분 좋은 일이다. 책을 써야 인생이 바뀐다.

글을 쓰려면 마음이 중요하다. 먼저 마음을 가져야만 행동으로 옮길 수 있기 때문이다. 빛나는 실버학교 강의 때 질문을 했다. "마음은 어디에 있나요?" 어르신들도 함께 있던 아이들도 대부분 마음이 가슴에 있다고 말했다. 나는 기억 속에 자리 잡은 마음을 나누기를 원했고, 어르신들이 기억을 끄집어내며 마음을 나누는 연습을 함께 해나갔다. 마음은 지·정·의다. 마음은 감정만 있는 것이 아니다. 지성(知性), 감정(感精) 의지(意志)는 인간의 세 가지 심적 요소이다. 그러므로 감성을 나누는 것도 중요하지만 지적인 것, 배움, 머리 쓰기도 꼭 필요하고 의지로 무언가를 시도하는 것도 중요하다. 기회는 있을 수도 있고 없을 수도 있다. 기회가 다가오도록 먼저 시도해 보자. 나의 마음을 보는 방법으로 책쓰기를 시도해 보자. 마음이 시끄러울 때 마음을 잡는 방법은 자리에 앉아 책을 펼치는 것이다. 종이에 나를 표현하자. 종이와 연필, 핸드폰에 메모, 컴퓨터에 글쓰기 무엇부터 시작해도 좋다. 시작은 봄과 같아서 꽃을 피울 준비를 한다.

나만의 스타일로 글을 써라

글에는 나만의 스타일이 묻어난다. 그림을 그려도 나를 닮고 글을 써도 나를 닮는다. 글을 쓰는 것은 정해진 답이 없는 길을 가는 것이다. 인생도 그렇다. 인생의 정답이 없고 글쓰기의 정답도 없다. 한편, 인생은 글쓰기로 더 많은 것을 얻어낼 수 있고 나의 소망을 연결하는 길이 되어 준다. 당신에게 일어났던 일들 기억의 저편에 있던 사건들이 글로써 표현되면 저주가 아니라 축복으로 다가온다. 당신을 이곳까지 데려다준 원천이 된다. 글쓰기로 마음이 정리되고 감사함이 된다. 감사는 힘을 주어 나머지 인생의 여정에서 희망의 미래로 가도록 도움을 준다. 나는 오늘도 감사함을 선택한다.

늦은 밤, 또는 새벽 시간 나만의 글쓰기 시간을 마련해보는 것도 좋다. 하루를 기록하기도 하고 독서와 생각 정리 시간, 아이디어 구상 시간이 될 수 있다. 나를 좀 더 잘 들여다볼 수 있는 시간, 내가 깊이 있게 느끼고 나에게 질문하고 답을 얻어가는 고요한 시간을 만들어 보자. 머릿속 정리되지 않은 생각 조각들이 자리를 찾아가는 기분을 느끼게 되기를 응원한다.

나만의 글을 쓰기 위해 몇 가지를 고려해 보자.

1. 마음에 드는 쓰기 도구와 장소 선택해 보자.

글쓰기를 위해서는 자신이 마음에 드는 쓰기 도구와 장소를 선택하는 것이 중요하다. 쓰기 도구로는 필기구, 키보드, 음성 녹음기 등이 있으며, 장소로는 조용한 도서관, 카페, 바다 등이 있다.

2. 자신의 감정을 정리하고 이해하기를 시도하자.

글쓰기를 하면서, 자신의 감정을 정리하고 이해하는 것이 중요하다. 자신이 느끼는 감정을 종이나 화면에 적어내며, 그 감정에 대해 자세히 생각해 보고 이해해 나가는 과정이 필요하다.

3. 자신의 장점과 성취를 돌아보자.

글쓰기를 하면서, 자신의 장점과 성취를 돌아보는 것이 중요하다. 자신이 노력하고 성취한 것을 정리해 나가면서, 자신의 능력과 자신감을 회복하고, 더 나은 방향으로 나아갈 수 있다.

4. 글쓰기를 통해 자기 생각을 정리하고 표현해 보자.

글쓰기를 통해, 제 생각을 정리하고 표현하는 것이 중요하다. 글쓰기를 하면서, 자신의 느낌을 자유롭게 표현하고, 더 나은 방향으로 나아갈 아이디어를 도출해 낼 수 있다. 글쓰기는 자신에 대한 이해와 발견을 돕는 멋진 방법의 하나이다. 매일 조금씩이라도 글쓰기를 해보며, 자신의 감정과 생각을 표현해 보는 것이 좋다.

열심히 사는 것만이 결코 정답이 아닌 시대, 지금보다 더 나은 삶으로 변화되고 싶다면, 삶의 등불이 되어 줄 멘토를 만나고 싶다면 먼저 책을 만나자. 책 속에서 그들을 만나고 나를 만나자. 한 분야의 전문가가 되어 지식을 깨우치기 원한다면, 그 분야의 책을 적어도 50권 이상 읽으며 나만의 스타일을 만들어 가자.

나만의 스타일로 글을 쓴다는 것은 자신만의 독특한 표현과 문체를 가지고 글을 작성하는 것을 말한다. 개인의 성향, 경험, 관점 등이 반영되어 독자에게 특별한 인상을 줄 수 있다. 다른 사람과 구별되는 특징으로 나만의 스타일을 가지고 글을 쓰는 것은 자유로운 표현과 창의성을 발휘할 좋은 기회다. 독자에게 독특한 경험과 관점을 전달하고, 글을 흥미롭게 만들어 주는 요소로 활용해 보자.

또 다른 세계의 기사 글쓰기에 도전하다

내가 기자라니, 어쩌다 우연한 기회에 기자가 되었다. 내성적이고 말이 없는 내가 기자가 되었다. 지난 3월 말 한국멀티미디어방송총연합(회장 윤여재)가 주최/주관한 「스마트멀티미디어방송전문가과정」 1기로 참여하면서 기사 강의를 처음 들었다. 이후 강남구 소비자저널이 제공한 '보도자료를 활용한 기사 작성'에 대한 유튜브 동영상을 수차례 보고 익힌 것을 토대로 기사 작성에 대한 실전 감각을 익혀나갔다. 강남구 소비자 저널에 기사글을 올리면서 기자로서 활동하게 되었다. 처음에는 경기도 광주시에서 받은 보도자료를 올리면서 내가 직접 취재한 글을 조심스럽게 올렸다. 그리고 지인들에게 "인터넷 신문에 기사 올려 드릴게요"라고 말하기도 했었다. 지금은 어떤 기업체 글을 전문으로 쓰게 되었고, 관심 분야인 미술 관련 기사를 쓰고, 치매 인식 개선을 위한 글을 쓰고 있다. 이젠 거꾸로 주변에서 "기사 내주실 수 있나요?"라고 말을 걸어오기도 한다.

요즘 나는, 나를 소개하는 방법이 하나 더 늘었다. "안녕하십니까? 강남구 소비자저널 스마트방송 전문기자 정현아입니다" 이렇게 인사를 하고 취재나 인터뷰 등을 진행한다. 기자로 활동하며 좀 더 좋은 기사를 쓰고 싶어 나름대로 참고서적들을 보고 보도 기사를 직접 쓴 경험들과 함께 정리하여 <어서와, 기자는 처음이지>라는 전자책(e북)을 2023년 8월 15일 출간했다. 알라딘, 교보문고, 예스24 등에 책이 올라가서 판매되는 것을 보니 신기하고 놀랍다. 쓰면 정리가 된다. 책쓰기를 하면 전문가가 된다.

'기자는 말을 거는 사람이다'라는 생각을 문득 하게 된다. 나처럼 말 없는 사람도 기자가 될 수 있다. 내성적이고 수줍음 많고 소극적인 사람도 성공잠재력이 존재한다. 강점이 있다. 내성적인 사람은 '말이나 행동에 앞서 생각하고, 말하기보다는 듣는 편이다. 세심하고 꼼꼼하다. 관심 분야가 좁지만 깊다. 사려 깊고 조용하다. 깊이 있고 지속적인 인간관계를 추구한다. 조사와 분석에 능하다'라는 특징을 가지고 있다. 내성적인 사람들도 자신의 조용한 장점을 활용하고 자신의 성과를 분명히 표현하고, 더 만족스러운 삶을 살기 위해 관심 분야에 에너지를 발휘하면 존재감이 향상되고 성취감도 가질 수 있다. 기사글 쓰기 좋다. 기자로서 새로운 탐험을 하고 자신의 존재를 부각할 수 있다.

기자는 사실을 전하고 기사글은 리듬감 있게 써야 한다. 진실한 보도를 해야 한다. 사실에 기반을 둔 보도를 전하며 다양한 시각을 제공해야 하는 데 글쓰기 기술은 단시간에 되지 않아 연습이 필요하다. 리듬감 있고 매끄럽게 기사글을 써나가기 위한 노력을 계속하게 된다. 기자는 신뢰받는 정보의 공급자로서 사회적으로 영향을 주기 때문이다. 더 나은 사회를 위해 올바른 정보를 전달하고 다양한 이야기와 관심을 통해 이해와 공감을 촉진하는 일로서 지식과 경험을 다른 사람들과 공유하는 방법으로서 기사글 쓰기를 추천한다.

말은 글이 된다. 취재하고 인터뷰하며 사람들을 만나면서 그들의 말을 기사글로 표현하며 그들의 삶을 이해하게 된다. 강남구 소비자저널은 우리 주변에 사람 사는 이야기들이 담겨있다. 남을 깎아내리는 기사를 지양하며, 훈훈하고 좋은 기사를 찾아 송출하는 인터넷 신문으로 유명하다.

'이 우주가 우리에게 준 두 가지 선물은 사랑하는 힘 그리고 질문하는 힘이다'라고 메리 올리버는 말했다. 심리학자 이민규 교수님의 신작 '질문하면 달라진다'에서 보면 자신에게 질문을 던지면서 하루를 시작하면 세 가지 측면에서 변화와 성장이 이루어진다고 말한다. '목적지향의 삶을 살게 되고 책임감과 자존감이 높아지고 다양한 해결책을 갖게 된다'는 것이다. 질문은 사람을 만든다. 일단 질문이 만들어지면 질문이 사람을 만든다. 우리의 뇌는 참으로 놀라운 능력을 갖추고 있어서 우리 자신에게 질문을 던지는 순간 고도로 정밀한 안테나를 세워 필요한 정보를 수집하기 시작한다. 놀거나 쉬거나 잠잘 때 조차도... 질문하면 달라진다.

'어제보다 나은 내일을 만들기 위해 지금 나에게 어떤 질문을 해볼까?'. '너무 늦었다고 포기한 일 중에 지금이라도 시작해 보고 싶은 일은 무엇인가?', '10년 후 미래를 위해 지금 내가 해야 할 일은 무엇인가?'. '남이 뭐라 하든 꾸준하게 가고 싶은 나만의 길은 무엇인가?'. '앞으로 시간과 에너지를 투자해야 할 정말 중요한 일은 무엇일까?'. '오늘 누구에게 어떤 이익이나 감동, 즐거움을 줄 수 있을까?'. '내가 일하는 분야에서 벤치마킹하고 싶은 모델은 무엇인가?'. '변화의 가능성을 믿고, 오늘 새롭게 시도해 보고 싶은 일은 무엇인가?'. '지금까지 내가 매일 꾸준히 하는 것은 무엇이며, 앞으로 꾸준히 준비하고 싶은 일은 무엇인가?' 이민규 교수님의 '질문하면 달라진다'라는 책에서 나온 질문들에 답을 생각하며 일, 가족, 다른 사람을 대하는 태도가 달라지는 것을 경험하게 된다. 지금 하는 일인 스마트방송 전문기자의 역할에서도 나에게 스스로 질문하며 시작점에 서 있다. 이 시작점에서 도미노 효과가 일어나고 있다.

어떤 분이 나를 '인내의 여왕'이라고 말해 주신 기억이 난다. 인내도 능력이라고 생각된다. 인내는 살아가면서 꼭 필요한 덕목이다. 인내는 기자의 어려움과 장애물을 극복하는 데도 능력이 된다. 이번에 나는 마음을 바꾸고 말을 바꾸었다. 어렵다는 말에서 '재미있다'로 말을 바꾸었다. 내가 하는 일에서 흥미로움, 설렘을 늘 가지려고 한다.

누구나 기자가 될 수 있다. 사진과 함께 한 줄만 서도 훌륭한 기사가 된다. 예를 들어 한 줄 기사 내용을 그대로 적어 본다.(지면 관계상 사진은 미첨가)

[강남구 소비자저널=정현아 기자] 서울시 어머니 기자단은 15일(화) 오후 2시부터 서울시 노원구 소재 서울과학기술대학교 무궁관 911호에서 서울시 어머니 기자단 단원들이

참석한 가운데 업무 협약식을 했다.

지난 8월 15일에 (사)대한기자협회 주관으로 서울시 어머니 기자단 역량 강화를 위한 '품격 있는 취재와 기사 작성'을 위한 강의는 강남구 소비자저널 김은정 대표가 맡아서 해 주셨다. 필자는 이날 '어서 와, 기자는 처음이지' 단독 전자책을 출간 날이어서 책 소개와 함께 기자의 꿈을 키워 가는 어머니들의 노력과 열정을 응원하며 스마트방송 전문 기자로서 가치 있는 분야의 일을 이야기했다. '품격 있는 기자, 가치 있는 기사, 진실 있는 보도'를 어머니의 시선으로 사회정의를 전하기 위한 목표를 가지고, 역량 있는 단원들의 기사 작성의 힘을 키우기 위한 교육이었다. 그날 수강하신 정혜선 기자는 강의를 듣고 실습을 하고 다음 날 두 단락으로 기사 작성하여 올리셨다. 한두 줄도 훌륭한 기사가 된다.

[강남구 소비자저널= 정혜선 기자]
서울시 어머니 기자단은 8월 15일(화) 오후 2시부터 서울시 노원구 소재 서울과학기술대학교 무궁관 911호에서 서울시 어머니 기자 단원들이 참석한 가운데 업무 협약식을 거행했다.

이날 행사는 강남구 소비자저널을 중심으로 전 국민 기자단(기자평가단) 구축을 위한 1차 1천 명 기자단을 위한 뜻깊은 행사로서, 소비자평가 솔루션 확대에 있어, 소비자, 전문가 영역을 더 해 기자평가단을 구축하는 첫 삽의 역할이 기대되며, 향후 창업 경영 포럼(창경포럼)과 소비자저널 협동조합(소협)이 보유한 각 인프라 채널(SNS 등)을 기반으로 일반 유져(소비자/구독자)가 더욱 확대될 전망이다.

만나고 배우고 듣고 적다 보면 된다. 우리 주변 삶의 이야기 다양한 정보를 전하며 이해와 공감을 촉진하는 일에 탐구심과 호기심을 가지고 일하다 보니, 어느 순간부터 놀랍게도 '정 기자님'이라고 불리고 있었다. 기자라는 활동은 상당한 매력이 보이기 시작했다. '내가 뭐! 어때서', '기자라고 하면 어렵게만 느껴지나요?'. 토익에 합격하고, 자소서 쓰고, 기사 시험에 합격해야만 기자가 될 수 있는 것은 아니다. 조선일보, 중앙일보, 동아일보 기자만 기자가 아니다. 주부도 학생도 시니어도 모두 기자가 될 수 있다. 탐구심과 호기심으로 긍정적인 변화를 끌어내고자 하는 마음만 있다면...

'펜은 칼보다 강하다'는 말이 있다. 보통 문학이나 언론의 영향력을 표현하는 말이다. 내 생각 감정을 풀어내어 준 펜,

기자로서의 선한 영향력을 위해 파이팅을 외친다. 어느 선생님께서 "기자증 저도 하나 만들면 안 될까요"라고 하신다. 욕구가 있다. 쓰고 싶은 욕망에 날개를 달다.

책쓰기로 작가 되기

글쓰기는 나와 거리가 먼 낯선 것이었다. 그런데 지금은 작가라고 불리 운다. 나를 치유하는 글쓰기에서 시작해서 나만의 글쓰기를 찾아 고민하다, 어느 날 기자로서 기사글을 쓰게 되었다. "까짓것 인생 뭐 있어.", "한번 해보는 거야" 결심은 과정을 통해 결과를 가져온다. 글쓰기를 시작하다 보니 기사 글쓰기까지 나를 이끌었다. 글쓰기는 책쓰기, 기사 글쓰기로 결과물이 되었다. 글쓰기는 나를 만들어 준다. 글쓰기 기술을 배우자. 결과물이 만들어지려면 내 능력에 한계를 두지 말아야 한다. 글쓰기 기술을 배우면 굶어 죽지 않는다. 글쓰기를 통해 사고의 기술, 희망의 마음을 가지는 기술, 자기계발기술, 세상 속에서 당당해지는 내가 되는 기술을 가져갈 수 있다.

책쓰기는 매력 있는 성공 통로가 될 수 있다. 성공의 기준은 사람마다 다르다. 돈을 많이 벌어야 성공이라고 생각하기도 하고, 권력, 명예를 가져야 성공이라고 생각하는 사람도 있지만, 성공의 궁극적인 목표는 행복이다. 책쓰기도 행복을 느낄 수 있고, 성공을 꿈꿀 수도 있다. 책을 쓰다 보면, 생각 정리가 되고 나의 노하우를 체계화할 수도 있다. 필자도 기사 글쓰기 노하우를 정리하여 '어서 와, 기자는 처음이지' 단독 전자책을 출판하고 자신감이 생겼다. 성공 느낌이 들었다. 글쓰기와 책쓰기는 나비효과를 가져온다.

책쓰기를 하면 이런 좋은 점이 있다. 나의 노하우를 체계화할 수 있고, 자신감이 생기니 열정이 살아난다. 잠재능력이 개발되어 나도 모르게 주도적으로 살게 된다. 인세 수입도 기대할 수 있고 저자특강을 할 수 있다. 책으로 출간하면 작가가 된다. 책쓰기가 작가로 만들어 주었다. 멋진 일이다.

"탁구영의 책 한 권 쓰기"에서 저자 조관일은 책쓰기의 효과 10가지를 소개하고 있다. 내용은 다음과 같다.
  1. 학습효과: 알기 때문에 책을 쓰기도 하지만, 책을 쓰는 과정 자체가 배우는 과정이다. 책을 쓰면 그만큼 더 많이 알게 되고 배우게 된다.

2. 명함효과: 사람들과 인사 나눌 때, 책을 건네보자. 어떤 명함보다 호감을 줄 수 있다.

3. 정리효과: 지식과 경험, 관심사를 정리하는 작업이 된다.

4. 후광효과: 이 사람이 바로 그 책을 쓴 사람입니다. 특별한 사람이 되다.

5. 학력, 전공 초월 효과: '학력세탁 효과'라는 우스갯말도 있다.

6. 자기계발효과: 책을 쓰는 세상에서 가장 창의적인 노동으로, 집중력으로 최고의 전문가의 경지로 갈 수 있다. 나의 수준을 높일 수 있다. 책을 쓴다는 것은 상상하는 것 이상의 위력을 가진다.

7. 경제효과: 수입 창출, 인세 수입, 금전적 이익을 가져올 수 있다.

8. 홍보대사 효과: 책은 나의 분신, 나를 홍보한다. 책이 곧 당신이다..

9. 몸값 상승효과: 전문적 지위확보, 우수 인재, 몸값 상승 효과를 가져온다.

10. 지적자산 효과: 책을 통해 이론 발표, 지적자산으로 선점하는 효과를 발휘한다.

그림을 그리는 일은 관찰하는 일이다. 글 쓰는 일도 그렇다. 특별히 글쓰기는 사물을 분석적으로 파악하는 훈련이 된다. 작곡하거나 그림을 그리는 예술과 비교될 만큼 글쓰기는 상상력과 창의력 향상에 매우 좋다. 글쓰기는 책쓰기를 위하는 준비과정이 될 수 있다. 인간적인 깊이와 삶의 수준을 향상할 수 있는 효과적인 방법이 책쓰기이다.

내 나이 50대, 50과 관련된 책 제목을 찾아보았다.

'오십이 앞으로 어떻게 살 거냐고 물었다', '어쩌다 보니 50살이네요', '50, 나를 인정할 시간', '오십의 기술', '50부터 시작하는 나이 공부', '여자 나이 오십, 봄은 끝나지 않았다', '50 이후, 더 재미있게 나이 드는 법', '50이면 그럴 나이 아니잖아요', '50, 내 인생 가장 유쾌한 나이', '오십에 읽는 논어', '오십의 말 품격 수업', '재테크는 오십부터', '50 이후, 건강을 결정하는 7가지 습관', '오십, 인생 후반의 즐거움을 준비하는 시간', '50부터는 인생관을 바꿔야 산다', '오십에 시작하는 1인 출판', '50대, 이제 나답게 산다' 나이 50 관련 책이 많다. 책 제목을 읽으며 이런저런 생각이 스친다. 힐링 되기도 하고 바꿔야 할 것은 무엇인지 배워야 할 것, 준비해야 할 것은 무엇인지 생각하게 된다.

100세 시대, 이제 반 살았다. 지금이 딱 좋다. 50대, 내 삶이 두 번째로 꽃피우는 시간으로 생각하자. 새로운 아이디어, 생각, 모험과 도전, 흥미진진한 일들이 가득한 상자를 상상하자. 나를 인정하며 지금이 가장 유쾌한 나이로 더 재미있게 나이 들어가자. 지금, 꿈을 따라 작은 변화를 시작해도 늦지 않다. 책쓰기로 나를 다듬어 보자. 다듬으면, 돌이 옥으로 변한다. 책쓰기는 작은 변화의 시작이 될 수 있다. 책쓰기 시작하기에 오늘이 가장 좋은 때라고 생각해 보자. 배우기를 더하자. 희망이 보이고 나의 인생이 빛날 것이다.

작가로서의

삶을 시작하는 사람들에게

글쓰기 재능을

연마하기 전에

뻔뻔함을 키우라고

말하고 싶다.

- 하퍼 리 -

가슴 뛰는 남자, 작가 되다

가슴뛰는남자 조민섭

　IT 관련 일을 20년째 하는 직장인이다. 자기 계발을 위해서 열심히 독서 모임에 참여하여 변화와 성장의 삶을 살고 있다. 독서를 통해 다양한 독서법을 알게 되면서 직장인들과 창업을 준비하는 분께 독서와 독서 방법을 가르치길 원한다. 추후 자기 계발 메신저로 활동하기 위해 준비하고 있다.

　지극히 평범하게 살아가고 있는 삶에서 정말 우연히 책이라는 친구를 만나게 되었다. 책은 신이 나를 어여삐 여겨서 보낸 선물 같은 존재이다. 독서로 삶의 변화와 성장을 추구하고 있으며, 인정받는 직장인, 작가로 사는 삶을 꿈꾸고 있다.

이메일 : hipoe@naver.com
블로그 : https://blog.naver.com/hipoe

가슴뛰는 남자, 작가에 도전하다

    책 한 권도 읽지 않았던 나의 생활에서, 아내의 권유로 독서 모임에 참여하게 되었다. 이전 직장에서 중간 관리자로서 항상 무슨 주제로 이야기할지 고민하는 일이 있었고, 그 상황에서 아내의 제안을 받았다. 그리하여 생따나비독서모임에 가입하게 되었다. 처음 독서 모임에 참여했을 때, 어떤 말을 할지 고민하며 조용히 있었다. 그러다 처음으로 읽은 책인 '횡설수설하지 않고 정확하게 말하는 법'을 통해 많은 사람 앞에서 발표할 기회를 얻었다.

    생따나비독서모임은 나의 삶을 바꾸는 인생 전환기가 되었다. 생따나비독서모임은 매주 토요일 저녁에 모임을 하지만 더 많은 나눔을 위해 매일 아침 '굿모닝생글'이라는 모임으로 하나 더 진행한다. 굿모닝생글은 각자 읽은 책의 내용을 5분 이내에 정리하여 말하는 시간을 갖는다. 어린 시절부터 사람들 앞에서 발표할 때 불안해하던 나의 모습이었지만, 매일 5분 동안 책의 내용을 정리하여 말하다 보니 자신감을 얻고 독서에 대한 열정이 생기게 되었다.

생따나비독서모임을 하면서 해피꿈북클럽도 함께 참여하게 되었다. 해피꿈북클럽은 전략독서, 강의, 책쓰기 프로그램이다. 이 프로그램은 100일 동안 33권 이상의 책을 읽고, 그중 2권 이상의 책을 선택하여 강의하고, 책 쓰는 것을 목표로 한다. 해피꿈북클럽에서 책을 읽고 강의하면서 많은 사람 앞에서 이야기하는 것이 두렵지 않아졌다.

필자의 강의를 듣고 있던 멤버 중 한 분이 "처음에는 남 앞에서 이야기할 때 가슴이 두근거리셨다고 하셨는데, 이제는 함께 하는 멤버의 가슴을 두근두근하게 만드시네요."라고 말했다. 그 이후로 나의 닉네임은 자연스럽게 '가슴 뛰는 남자'가 되었다. 이렇게 불리면서 나는 두려움을 극복하고 자신감과 당당한 모습으로 변화되었다.

100일 동안의 과정을 마치고 나서, 공저 책을 쓰기 시작했다. 나의 첫 번째 공저 책은 '독서법으로 삶을 리드하라'

이다. 예전엔 한 권도 읽지 않았던 내가 독서법의 글을 쓴다는 것은 상상도 못 한 일이다. 거기다 더 놀라운 일은 두 번째 책인 '강사의 시대, 강의로 아웃풋하라'를 쓰면서 강의하면서 아웃풋의 중요성에 관해 쓰고, 세 번째 지금의 책을 쓰면서 책쓰기와 작가에 대해 쓰고 있다. 책을 써보니 책을 쓴다는 것은 쉬운 일이 아니다. 하지만 책을 쓰다 보니 사고력과 판단력이 향상되는 것을 필자가 확인할 수 있었다. 이렇게 책을 세 권째 쓰면서 초보 작가들이 알아야 할 책쓰기 방법에 대해 자연스럽게 알게 되었다.

작가가 되기까지의 여정에서 책을 쓰며 많은 것을 배웠다. 책쓰기를 통해 작가가 될 수 있다는 자신감을 얻었고, 이제는 책쓰기에 도전하는 분들에게 조금이나마 도움이 될 수 있는 글을 쓰고 싶다는 생각이 들었다. 이를 통해 내가 알게 된 책쓰기의 방법에 대해 나누어 보고자 한다.

직장인이 책을 써야 하는 이유

23년 동안 직장에서의 바쁜 일상 때문에 책을 읽는 시간을 확보하는 게 쉽지 않았다. 직장생활에서 업무와 개인 생활 사이에 우선순위를 매기는 게 어려운 일이었다. 하지만, 책을 읽지 않던 필자는 독서 모임에 가입하고 책을 읽게 되고, 글을 쓰면서 책을 출간하게 되었다.

먼저 책 출간 이후로, 내면의 문제와 두려움을 극복하게 되었다. 이전에는 혼자만의 세상에서 고민하다가, 이제는 무엇이든 해낼 자신감을 얻게 되었다. 그리고 직장에서 얻은 현실적인 도움도 컸다. 아마 많은 직장인은, 제안서 쓰기와 관련된 업무에서 스트레스를 받고, 상사의 지적이나 자신의 무능력을 느끼며 퇴사까지 고민하는 순간이 있을 것이다. 필자 또한, 이러한 고민을 한 경험이 있다. 직장에서 사업계획

서나 제안서를 작성해야 할 때가 있다. 책쓰기를 하기 전에는 제안서 작성과 프레젠테이션할 때 어려움이 있었다. 그런데 책을 읽고, 강의하고, 글을 쓰다 보니 이제는 제안서를 작성하고 발표하는데 많은 부담을 갖거나 어려움이 없다. 책을 쓰다 보니 자기 생각과 경험을 나누는 기회가 많아졌다. 그동안의 경험을 바탕으로 직장생활을 하면서 책을 써야 하는 이유 5가지를 소개하고자 한다.

직장인이 책을 써야 하는 이유 다섯 가지는 다음과 같다.

첫째, 책은 최고의 소개서이다.
직장인이 책을 쓰는 중요한 이유 중 하나는 책이 최고의 소개서가 될 수 있다는 점이다. 책은 자신의 지식과 역량을 체계적으로 정리하고 전달하는 수단으로 활용된다. 책은 독자들에게 깊이 있는 정보를 제공하며, 이는 더 큰 영향력을 발휘할 수 있다.

둘째, 사회적 영향력이 크다.
책을 출간하면 대중을 대상으로 자기 생각과 경험을 공유하게 되며, 이를 통해 사회적 영향력을 확장할 수 있다. 독자들과의 연결고리가 되어 자신의 존재감을 드러내고 사회적 네트워크를 구축하는 데 큰 역할을 한다.

셋째, 전문가의 자격증이다.

책을 출간하는 순간, 직장인은 자신의 분야에서 전문가로 인정받는 것이다. 출간된 책은 자신의 지식과 경험을 증명하는 동시에 전문성을 강조하는 데 도움이 된다. 이는 직장 승진이나 새로운 기회를 얻는 데 도움이 될 수 있다.

넷째, 미래가 달라진다.

책을 쓰는 과정은 가슴을 뛰게 만들고 생활에 활력을 불어넣는 데 도움이 된다. 또한, 책을 통해 자신의 목표와 비전을 명확히 할 수 있으며, 이를 향한 다양한 기회와 도전이 열리게 된다. 또한, 미래에 대한 더 큰 자신감을 얻을 수 있다.

다섯째, 사회에 공헌하는 일이다.

직장인이 책을 쓰면 자신의 지식, 경험, 비법을 공유함으로써 사회에 공헌하는 일을 할 수 있다. 책을 읽은 사람들은 그 지식을 활용해 더 나은 삶을 살거나 문제를 해결하는 데 도움을 받을 수 있다. 이를 통해 직장인은 자신의 역할을 넘어 사회적 책임을 다하는 데 이바지한다.

이러한 이유를 고려하면 직장인이 책을 쓰는 것은 개인과 사회에 많은 이점을 제공할 수 있는 의미 있는 노력이다. 책을 통해 자신의 역량을 향상하고 동시에 다른 이들을 도울 기회를 찾을 수 있다.

가슴뛰는 남자의 책쓰기 방법

글쓰기는 우리 일상에 깊숙이 뿌리박힌 활동이지만, 작가로서 글을 쓰는 것은 훨씬 복잡한 일이다. 작가는 단순한 기술을 넘어서, 감정과 아이디어를 예술적으로 표현해야 하며, 이는 지속적인 연습과 학습을 통해 이루어진다. 매일 글쓰기에 몇 분을 할애하고, 다른 이와의 토론을 통해 실력을 높일 수 있다.

자신의 독특한 목소리를 찾기 위해 다양한 스타일과 주제를 탐구하고, 피드백에 개방적이어야 한다. 작가가 되는 길은 출판과 독자의 인정을 얻는 것에서 오는 도전도 포함한다. 경쟁이 치열한 출판계에서 자리를 잡기가 쉽지 않으며, 독자의 시선을 끌기도 어렵다. 그러나 디지털 출판의 등장으로 더 많은 기회가 열렸다.

작가가 되는 것은 열정과 헌신이 필요하며, 꾸준히 개선하고 독자와 소통하는 것이 중요하다. 작가로서 성공은 쉽지 않지만 포기하지 않고 노력을 지속하면 도달할 수 있다. 어려움에도 불구하고 글쓰기에 대한 사랑과 노력으로 작가의 길을 걷는 것은 매우 가치 있는 일이며, 누구나 글은 쓸 수 있지만 작가가 되는 것은 더 큰 도전이라는 것을 명심해야 한다.

많은 사람에게 책을 쓰는 과정은 창조적이고 보람 있는 경험이 될 수 있다. 이 꿈을 실현하기 위해 책을 쓰는 방법을 알고 있다면, 과정이 훨씬 수월해질 수 있다. 책쓰기 방법은 다음과 같다.

1) 아이디어와 목표를 정한다.

책을 쓰기 위해 가장 먼저 해야 할 일은 아이디어와 목표를 정하는 것이다. 어떤 이야기를 전달하고 싶은지, 책의 주제와 내용을 확립한다. 목표를 설정하면 작업을 집중하고 계획을 세울 수 있다.

2) 목표 설정을 한다.

책쓰기 목표를 설정한다. 어떤 종류의 책을 쓸 것인지 (소설, 자기계발서, 가이드북 등), 글의 분량을 몇 마디로 제한할 것인지 등을 결정한다. 일정을 정하고 그것에 맞게 글쓰기 시간을 예약하면 계획을 지키기 쉽다.

3) 시간과 공간이 필요하다.

글쓰기에는 충분한 시간과 조용한 작업 공간이 필요하다. 일정을 관리하여 글쓰기에 투자할 시간을 확보하고, 방해받지 않는 환경을 추천한다.

4) 연구와 자료 수집을 해야 한다.

작가는 종종 연구와 자료 수집이 필요하다. 주제에 대한 깊은 이해와 정보를 획득하기 위해 도서, 논문, 인터넷 등을 통해 연구하고 필요한 자료를 수집해야 한다.

5) 계획과 아웃라인 작성한다.

책을 쓰기 전에 전체적인 계획과 아웃라인을 작성한다. 각 장(chapter)의 내용과 흐름을 미리 계획해 두면 글을 쓰는 과정이 효율적으로 진행한다.

6) 글쓰기 도구가 필요하다.

컴퓨터, 노트북, 혹은 펜과 노트와 같은 글쓰기 도구가 필요하다. 워드 프로세서나 글쓰기 소프트웨어를 활용하여 작성하면 편리하다.

7) 창작적으로 활동해야 한다.

책을 쓸 때 창작적인 과정이 중요하다. 무엇을 어떻게 표현할 것인지 고민하며 자유로운 상상력을 발휘해야 한다.

8) 초안을 작성해야 한다.

가장 먼저 초안을 작성한다. 글쓰기를 시작할 때 완벽함을 기대하지 말고, 아이디어를 흘려 적어보세요.

9) 수정과 퇴고를 해야 한다.

완성된 초고를 여러 번 읽고 수정한다. 더 나은 표현과 구조를 찾아내고, 문법과 맞춤법을 검토한다. 독립적인 리뷰어나 편집자의 도움을 받는 것도 좋다.

10) 인내와 헌신이 필요하다.

책쓰기는 어려운 작업일 수 있다. 그러나 인내와 헌신을 가지고 계속해서 노력하면 작업이 완료될 것이다.

11) 출간 방법을 선택한다.

책을 출간할 방법을 선택한다. 온라인 출판 플랫폼을 활용하거나 출판사와 협력할 수 있다.

12) 출간이다.

출간을 위해 필요한 모든 단계를 마무리하고 책을 세상에 내놓아야 한다.

13) 홍보이다.

책을 홍보하고 판매를 촉진하기 위해 온라인과 오프라인에서 홍보 활동을 시작한다.

책을 쓰는 것은 큰 도전이지만, 충분한 준비와 헌신으로 성취할 수 있는 목표이다. 이제 아이디어를 종이에 담아보라. 시작하고 나서는 꾸준한 노력과 개선을 통해 작가로서 성장할 수 있을 것이다. 책을 쓰는 것은 단순한 과정이지만, 계획, 일정, 목표 설정, 일관성 유지, 수정, 개선, 그리고 출간 과정을 따라가야 한다. 책쓰기는 시간과 노력이 필요하지만, 작품을 마무리하고 출간한 후의 만족감과 성취감은 노력에 충분히 대가로 올 것이다. 중요한 것은 시작하는 것이며, 꾸준히 글쓰기를 연습하고 발전시키면 된다.

작가의 꿈을 펼쳐라.

책을 쓰는 것은 꿈을 이루기 위한 흥미로운 과정이다. 처음 시작할 때는 두려움과 불안이 따를 수 있다. 필자도 책을 쓰는 과정에서 수많은 어려움을 만났다. 필자처럼 같이 책을 쓰려고 준비하는 분들에게 작가의 꿈을 키우기 위한 용기와 조언을 전달하려고 한다.

글쓰기 하는 과정에서 생각지도 못한 어려움이 나타날 수 있다. 그 어려움을 뛰어넘는 방법은 배움이다. 배움에는 많은 방법이 있겠지만 필자가 경험한 가장 좋은 방법은 매일 글을 적는 것이다. 가장 좋은 스승은 본인이다. 그런 노력을 결과로 2권의 저서 공동 저서를 완성했고 3번째 저서 작업 중이다. 책 쓰는 과정으로 작가로서 성장하면서 느낄 수 있었다.

작가로서의 꿈의 첫 시작은 글쓰기이다. 본인만의 이야기를 글로 기록해야 한다. 필자는 글쓰기 모임에서 배운 1일 블로그 작성법을 통해 매일 글을 쓰는 연습을 하였다. 어떤 주제든 상관없다. 중요한 건 시작하는 것이다. 글을 처음 쓰기 때문에 본인의 부족함이 많이 보일 것이다. 주변 사람들과 비교하면서 스스로 꿈을 포기하지 않았으면 한다. 자신의 이야기를 표현하려는 열정과 노력만 있으면 성공할 수 있다. 책쓰기 과정을 통해 작가로서 성장하고 행복을 느끼면 된다.

작가로서 성장을 이루기 위해서는 시간 관리와 목표 설정이 중요하다. 직장생활과 작가 활동을 조화롭게 하려면, 시간 일정을 잘 조절하고 목표를 명확하게 설정하는 것이 필수이다. 필자는 현재 직장에 다니고 있어서, 직장과 작가 생활을 어떻게 조율할지 고민하면서 겪은 경험이 있다. 직장에서의 업무로 인해 압박감을 느끼고 정신적, 신체적으로 힘들 때가 있을 것이다. 이런 상황에서 필자가 선택한 방법은 시간을 만드는 것이다. 더 효과적인 글쓰기를 위해, 평소보다 1시간 일찍 일어나서 아침 시간을 글쓰기에 할애했다. 어떤 주제로 글을 쓸 것인지, 그리고 언제까지 완성할 것인지 명확하게 결정해야 한다. 명확한 목표와 시간 일정을 가지면 작가로서의 여정을 더 효율적으로 나아갈 수 있다.

자신만의 이야기를 본인만의 이야기로 풀어 작성하는 것이 가장 중요하다. 가장 좋은 책은 자전적인 이야기라고 필자는 생각한다. 자신만의 경험과 감정을 솔직하게 표현하는 것을 의미한다. 나의 이야기를 담아서 쓴다면, 그게 가장 좋은 책이 될 수 있다고 생각한다. 그런 작품은 독자들에게 감동을 줄 것이다.

마지막으로 본인을 믿고 끝까지 작성하는 것이다. 현재 작성하고 있는 이야기를 세상에서 가장 소중하고 가치가 있다고 생각해야 한다. 처음에는 어설프고 부족한 부분이 많이 보일 것이다. 그러나 끝까지 포기하지 않고 꾸준한 노력과 열정으로 글을 쓴다면 필자를 포함한 여러분들은 훌륭한 작가가 될 것이다. 독자들은 잘 쓴 내용보다는 내 주변의 이야기를 기다리고 있을 수 있다. 우리 함께 작가의 꿈을 향해 나아가 보자.

대개는 책을 읽다가
글을 쓰기 시작한다.
글을 쓰겠다는 충동을
자극하는 것은
대개 독서다.
독서, 독서에 대한 사랑이
바로 작가의 꿈을
키워주는 것이다.

- 수전 손택 -

짬짬이 글쓰기

주인숙

    하루 24시간을 48시간처럼 활용하며 짬짬이 여행 독서법과 짬짬이 여행 글쓰기를 통해 계속해서 성장하고 있다.

    성문전자 주식회사에서 2교대 근무를 23년 차 하는 스마일리치연구소 대표이며, 대한치매협회 경기 평택지사 이사로 강사 양성도 하고 있다.

웃.독.성독서클럽 대표로 독서클럽도 3년째 하고 있다.

정년퇴임 후 스마일리치연구소 1인기업을 출범하기 위해 웃음과 독서와 성장을 통해 메신저의 길을 걸어가고 있다.

독서와 글쓰기를 통해 작가로서의 길도 계속 걸어가고 있다.

저서

<100일간의 두드림 날개를 펼치다>

<배움이 이끄는 삶>

<독서법으로 삶을 리드하라>

<강의 시대, 강의로 아웃풋 하라>

<쫄지마라! 청중의 가슴을 떨리게 하라>

<짬짬이 여행 독서법>

<삶의 에너지를 불어 넣어주는 웃음>

<지금, 잘하고 있어>

<작가의 시선>

틈새 시간 활용해 글쓰기

틈새 시간이라고 하니 틈새라면이 생각난다. '신라면', '진라면', '열라면',등 라면 열풍으로 뜨겁던 시장에 새롭게 나온 '틈새라면' 이름만 들어도 대박 날 것 같았다. 바로 구매해 직접 맛을 보기로 하고 먹었다. 와! 역시 맛도 틈새시장을 공략하기에 딱 좋은 맛이다. 나의 입맛에 맞았다. 그동안 사랑했던 신라면 사랑이 틈새라면으로 돌아섰다. 이렇게 입맛도 손바닥 뒤집듯이 바뀌는 것이 고객이다. 우리의 글도 그렇다. 그래도 써야 한다. 쓰다 보면 잘 쓰게 되기 때문이다. 안 하면 아무 일도 일어나지 않는다. 하지만 하면 무슨 일이든 일어난다. 틈새라면처럼 우리도 틈새 시간을 공략해서 써보자. 안될 거라는 생각에서 벗어난다면 못 할 것도 없다.

양계장의 보통 닭들은 양계장 밖을 벗어날 생각을 하지 않는다. 왜 그럴까?

영화 <치킨 런> 중에서 이런 대사가 있다.

"평생을 알만 낳다 나중에 털 뽑혀서 먹히고~~~, 그렇게 살다 죽고 싶어요?"

"어떻게 해요. 그게 우리의 팔자인데~~~."

"그게 문제예요. 양계장 울타리가 여러분 머릿속에 있다는 것."

그렇다 양계장 울타리가 머릿속을 가두고 있기 때문이다. 글쓰기도 그런 것 같다. '내가 어떻게 글을 써?', '내 주제에 무슨…', '나 같은 사람이 어떻게…' 이런 생각이 머릿속에 울타리를 치고 있기 때문이다. 내가 어떻게 작가가 돼? 라는 울타리에서 벗어나지 않는다면 글을 쓸 수가 없다. 아니 쓰지 않는다. 이런 울타리를 걷어 버리는 것이 먼저이다. 이것을 행동 심리학 박사 이민규 저자님의 <변화의 시작 하루 1%>에서 자기규정 효과라고 한다. 나를 새롭게 규정해 보자. 우리의 태도와 행동 전반을 지배하게 될 것이다. 다르게 규정하면 다르게 생각하고 다르게 행동한다. 이렇게 될 때 인생이 바뀌게 된다. 나도 여러분도 충분히 글을 쓸 수가 있다. 베스트셀러 작가가 될 수 있다. 스테디셀러 작가가 될 수 있다고 새롭게 나를 규정해 보자. 그러고 나의 틈새 글쓰기 시간을 찾아보자.

내 경우를 보면 틈새 시간이 많이 있다. 친구랑 약속하고 약속 장소에서 기다리며 멍때리는 시간, 핸드폰을 보거나 유튜브를 보면서 그 시간을 그냥 흘러 버릴 때가 많다. 하지만 글을 쓰기 시작하고부터는 나에게 자투리 시간은 글을 쓰는 시간이 됐다. 출·퇴근 시간도 자투리 시간이 많다. 출근해서 일을 시작하기 전에도 틈새 시간이 있다. 퇴근하기 10분 전에도 틈새 시간이 있다. 부장님이 이사님이 퇴근할 때만 기다리지 말고 그 틈새 시간에 메모지에 그 순간의 느낌을 적어보자. 이것이 글쓰기 시작이다.

매일 느낌이 다를 것 같다. 그 감정들을 짧게 써 보자. 일 년이면 책 한 권이 된다. 그렇게 틈새 시간에 짧게 메모한 글들이 모여 나만의 전자책을 출간할 수 있다. 이렇게 꾸준하게 틈새 시간에 글을 쓰다 보면 글 근육도 생기고, 사유도 높아진다. 이후에는 글쓰기가 줄줄이 사탕처럼 생각의 생각이 꼬리를 물고 이어져 나오는 것을 경험하게 된다. 이런 경험을 해 본다면 이후부터는 글을 쓰라는 말을 안 해도 안 쓰면 손가락이 간질간질해서 안 쓰고는 안되는 시간이 온다.

바로 작가의 길로 들어서게 된다.

이렇게 틈새 시간을 활용해서 글을 쓰다 보면 온통 글을 쓰는 생각으로 뇌는 가득 차 있어 뇌를 깨우는 좋은 습관이 되어 치매 예방에도 좋다. 치매 예방 이론에 보면 독서하고 글을 쓰는 것이 좋다고 한다. 이렇게 좋은 점이 많은데 안쓸 이유가 없다. 틈새 시간을 이용해 계속하여 글감을 생각하며 하루를 보내다 보면 생각의 깊이도 깊어지며, 생각의 높이도 높아지고, 생각의 각도도 긍정으로 바뀌는 것을 경험하게 된다. 이것이 글을 쓰는 이유이기도 하다. 시간이 없어서라는 말은 이제는 하지 못할 것이다.

나보다 더 바쁜 사람 있으면 메일 보내주면 내가 밥을 사겠다. 나는 2교대 근무를 하는 생산직 사원이다. 주말에는 실버 강사로 강의도 하며, 강사 양성도 하고 있다. 주일에는 믿음의 자녀로서 아침부터 저녁까지 주님과 함께하는 삶을 보내고 있다. 월요일 아침에는 미모리안으로 새벽 5시부터 김미경 학장님 번쩍 특강도 듣고 있다. 매일 7시부터는 생따 독서 모임에서 굿모닝생글로 독서 나눔을 하고 있다. 틈틈이 강의도 여러 오픈채팅방에서 듣고 있다. 독서실에 가서 독서도 하고 있다. 틈틈이 시간이 허락하면 손자랑도 놀아줘야 한다. 주부로서 청소와 가족들 식사도 준비해야 한다. 꿈만사에서 진행하는 챌린지도 해야 하고, 해피꿈북클럽에서 독서와 강의도 하고 있다. 나보다 더 여러분이 바쁘신가요?

하루 24시간을 48시간으로 쓰고 있다. 그러면서 틈틈이 틈새 시간을 이용해 글쓰기도 하고 있다. 나보다 더 바쁜 사람 있으면 손들어 보라.

그렇지 않으면 지금 당장 펜을 들고 `끄적끄적`해 보자. 그것도 어렵다면 입으로라도 네이버 클로바 노트를 열고 `중얼중얼` 이야기해 보자.

매일 3줄 글쓰기

<은유의 글쓰기 상담소> 책에서 이런 글이 있다.

"글을 못 써도 아무 일도 일어나지 않습니다."

"다 쓴 글이 잘 쓴 글입니다." 와! 이 문장은 나를 위해 은유 작가님이 쓴 글이라는 생각이 들었다. 그래서 나도 이렇게 용기를 내어 자판을 두드린다. 다 쓴 글이 잘 쓴 글이기에……

하루 1% 글쓰기와 연관된 내용이다. 하루 1%, 15분 동안 글을 쓰려고 해도 어떤 글을 어떻게 써야 하는지 모르는 분들을 위해 매일 3줄 글쓰기를 추천한다.

매일 월요일 아침 5시에 일어나 김미경 학장님의 번쩍 특강을 듣고 있는 미모리안이라면 금방 알 수 있을 것이다.

김미경 학장님도 매일 3줄 글쓰기를 미모리안 회원들에게 과제로 내주었기 때문이다. 나는 매일 3줄 감사 일기를 쓰고 있었기에 거기에 이어서 할 수 있었다.

하루 3줄로 간단하게 하루를 정리하는 시간이 되어서 좋다. 김미경 학장님의 매일 3줄 글쓰기는 잠들기 5분 전에 오늘 하루 중 잘한 일 한가지와 오늘 하루 중 아쉬웠던 일 한가지 그리고 내일 중요한 일을 잠들기 전에 3줄로 쓰라고 강조했다. 그러면 우리 뇌는 잠들어 있는 시간에도 이 일을 수행하기 위해 잠재의식은 계속 일을 하고 있다고 한다. 그래서 그런지 내가 잠들기 전에 실천한 날과 실천하지 않은 날의 새벽은 다르다는 것을 몸소 경험했다. 정말로 새벽이 다르게 시작한다. 이 글을 읽고 있는 여러분도 직접 경험해 보기를 바란다.

매일 3줄 글쓰기는 길게 쓰고 싶은 사람은 길게 써도 상관은 없다. 꼭 3줄 글쓰기라고 3줄만 써야 한다는 법은 없다. 하지만 나는 3줄로 짧게 압축해서 쓰는 것을 원한다. 너무 길게 쓰면 일기가 되어 버리기도 하고, 꾸준하게 지속하기도 힘들기 때문이다.

독서도 글쓰기도 그 어떤 것도 꾸준함이 뒷받침되지 않는다면 성장하기가 어렵기 때문이다. 그래서 매일 꾸준하게 할 수 있는 딱! 3줄만 쓰기를 강조하는 것이다. 오늘 하루 중에 좋았던 일 한 줄, 오늘 하루 중에 안 좋았던 일이나 후회되는 일을 딱 한 줄만 쓰는 것이다. 또 한 줄은 내일 내가 해야 할 중요한 일은 전날에 다시 한번 정리하고 잠재의식에게 명령하는 시간으로 내일 중요한 일도 딱! 한 줄만 쓰자. 이렇게 3줄만 쓴다면 하루 1%, 15분이면 충분하다고 생각한다. 매일 3줄 글쓰기를 김미경 학장님은 저녁 잠들기 전에 쓰라고 한다. 하지만 짬짬이 글쓰기에서는 꼭 저녁때 잠들기 전이라고 정하고 싶지 않다. 하루 24시간 중 "이 시간에 매일 3줄 글쓰기를 해야지"라고 생각이 들 때 그때 바로 실행하는 것이 좋다고 본다. 내 경험상으로 그렇다. 그래서 짬짬이 글쓰기이다.

매일 3줄 글쓰기를 감사 일기로 활용해도 좋다. 글쓰기왕 초보자들이 쉽게 시작하기에 좋은 것이 감사 일기 쓰기다. 오늘 하루를 보내면서 감사했던 일 3가지를 적어보다 보면 글쓰기 글 근육도 생기고 감사함을 찾다 보니 행복할 수밖에 없기 때문이다. 감사를 매일 찾다 보면 계속해서 감사한 일들이 연속으로 일어나는 기적을 맛볼 수 있다. 이렇게 이야기하면 어떤 분들은 '감사한 일이 있어야 감사 일기를 쓰지요?'라고 반문하는 분도 있을 것이다. 그런 사람 중의 한 사람이었기에 충분히 이해가 간다.

그래서 나는 감사한 일이 없다고 느낄 때 이런 글도 썼다. 잠깐 나의 감사 일기를 이곳에 나눠본다.

하나. 오늘 아침에 시원하게 대변을 볼 수 있음에 감사하다.
둘. 오늘 점심 반찬이 다 짜서 많이 먹을 수 없어 다이어트를 할 수 있음에 감사하다.
셋. 오늘 밤도 이렇게 누울 수 있는 따뜻한 방이 있음에 감사하다.

이렇게 감사를 찾다 보니 눈에 보이는 모든 것이 감사 일기 글감이었다는 것을 그때야 알 수 있었다.

이 책을 혹시 구매해서 읽고 있는 당신도 지금 당장 바로 눈앞에 있는 것부터 감사 거리를 찾아보자. 정말 당연하게 여겼던 것들이 감사 꺼리었음을 느낄 수 있을 것이다.

하나님이 공짜로 우리에게 주신 수 많은 것들이 있지만

우리는 감사로 느끼지 못하고 그냥, 원래, 있었기에 당연하게 받아왔던 것들이 감사로 느끼는 임계점을 만나게 될 것이다. 이것이 매일 3줄 글쓰기의 가장 큰 장점이다.

숨 쉴 수 있는 공기를 주신 것에 감사하게 되고, 무더운 여름날에 시원함을 주시는 바람에 감사하게 되고, 잠시 시름을 잊고 발을 담글 수 있고, 힐링할 수 있는 계곡, 숲, 나무, 물을 주신 것에 감사할 수가 있다.

이것 말고도 공짜로 우리는 매일 마주하는 것들이 정말 많다. 느끼지 못하기 때문이다. 오늘 한번 내가 지금 공짜로 누리는 것이 뭐가 있을까? 찾아보고, 생각해 보고, 감사 3줄 쓰기를 해보자. 정말 감사할 것들이 많다는 것을 절실하게 느껴 감동하여 눈에 눈물이 글썽거릴 것이다. 이것이 매일 3줄 글쓰기의 가장 큰 장점이다. 감사함이다.

"눈물의 글썽 글썽이 글이 되어 생글 생글로 나오게 하라"

음성녹음 앱을 활용해 글쓰기

　　네이버 클로바 노트나 삼성 노트 앱을 활용해서 머릿속에 있는 뱅글뱅글을 끄집어내 보자. 머릿속에 있는 뱅글뱅글을 글로 만들지 않는다면 공중으로 사라져 버리기 때문이다. 생각을 바로 글로 표현하지 않는 생각은 휘발성이 강해 금방 날아가 버린다. 그래서 베스트셀러 작가들이나 유명하신 기자분들을 보면 항상 펜과 노트를 가지고 다니는 것이다. 글들이 날아가기 전에 기록하기 위해 항상 적는 습관을 지니고 있다. 이제부터 우리도 그렇게 프로 같은 척을 해야 한다. 비록 다른 사람들은 비웃을망정 우리 자신은 토닥여 주고, 으샤! 으샤! 해줘야 한다. 그럴 때 생기는 엔도르핀이 더 강력하기 때문이다.

　　펜과 노트를 항상 가지고 다니면서 갑자기 어떤 문구가

마음에 와닿는 문구가 있으면 바로 노트에 적는 습관을 가져 보자. 만약 노트가 없다면 사진으로 찍어 두어도 좋은데 내 경험상으로 보면 집에 가서 바로 노트에 적지 않으며, 적어야지 하면서 건망증 때문인지 집에 가면 잊어버리고 안 적어 며칠이 지나 갤러리에서 찾다가 시간을 다 버리는 경우가 정말 많다. 그래서 나는 그런 문구나 문장이 있다면 네이버 클로바 노트나 삼성 노트 앱을 설치해서 나만의 글쓰기 제목으로 글방을 만들어서 그곳에 바로 적어 놓는다. 이것이 찾기도 쉽고 글로 되어 있으니 복사해서 활용하기도 좋다. 자판을 잘 못 두드려 독수리타법으로 해야 하는 분들이라면 네이버 클로바 노트를 활용하면 정말 좋다. 내가 한 말을 녹음해서 글로 변환시켜 주는 네이버 클로바 노트를 활용해 보자

네이버 클로바 노트가 뭐야라고 궁금한 분이 있을 것 같아 정보를 나눈다면 유튜브는 다들 보실 수 있으니, 유튜브에서 네이버 클로바 노트 활용법하고 검색하면 아주 친절하게 알려주는 선생님들이 많으니 알 수 있을 때까지 보고 또 보고해서 완벽하게 내 것을 만들어라. 이것 또한 잘 모르겠다 하신 분이 딱! 한 분 계신 것 같아 이야기한다면 스마트폰 자판에 보면 마이크 모양이 있다. 그것을 누르고 마이크

가 깜빡깜빡할 때 말하면 글로 써주니 그것을 활용해 보길 권한다. 이렇게 스마트폰은 이제 우리 오장 칠 부가 되었다. 없으면 안 되는 내 몸의 일부가 되었다. 이것이 습관으로 자리를 잡았기 때문에 아무 생각을 안 해도 우리는 눈을 뜨자마자 스마트폰을 찾게 되고 눈을 감을 때도 스마트폰을 옆에 끼고 잔다. 이런 스마트폰을 이젠 글쓰기에 활용해 보자. 그렇게 된다면 글쓰기가 쉬워질 것이다. 옆에 친구가 있다고 생각하고 이야기하듯 음성녹음을 하는 것이다. 음성녹음을 할 때 네이버 클로바 노트를 활용하거나 삼성 노트를 활용해서 나만의 글쓰기 공장을 만들어 제품을 만들어 보자. 만들다 보면 불량품도 나오기도 하고 생각했던 그것보다 더 좋은 제품이 나오기도 할 것이다. 그렇게 계속 스마트폰 습관처럼 글쓰기도 습관이 되게 만들어 보자.

실패하면 어떤가? 실패도 성공의 과정이기에 실패 창고가 많으면 많을수록 좋은 것이라고 김미경 학장님도 말씀하셨다. 두려워하지 말고 일단 써보자. 일단 해보자. 실행이 답이라고 하지 않는가? 실행하지 않는 것은 다 쓰레기이다. 실행해야 답이 나오는 것이다. 글쓰기가 습관이 되게 장착하자. 매일 3줄 글쓰기로 음성녹음을 활용해서 글을 써보자. 글 창고에 넣어 놓자. 내가 경험한 글이 제일 좋은 글감이라고 박

경리 선생님도 말씀하셨다. 내 경험과 실패를 글로 써보는 것이다. 이것이 최고의 글감이 되는 것이다. 사소한 것이 사소하지 않은 것이다. 그러니 사소한 것이라도 써보자.

우리가 여행가도 꼭 한 번에 잘 찾아가지 않지 않는가? 내비게이션이 알려준 데로 갔는데도 막판에 가서는 다른 길로 갈 때가 많다. 나만 그런 것이 아닐 것이다. 하지만 다른 길로 잘못 갔는데 내가 가기로 했던 그곳보다 더 좋아서 그 잘못된 곳에서 여행하고 올 때도 있다. 잘못 들어선 여행지에서 색다른 풍경을 보게 되듯이, 내가 쓴 글이 옆길로 새서 다른 지점에 도달한다는 건 그 글을 쓰지 않았으면 몰랐을 자기 생각을 만난다는 의미가 된다.

그러니 일단 써보자. 옆길로 새도 좋고, 돌아가도 좋다. 다 집으로 돌아올 수는 있으니, 옆길로 새면 새는 대로 그냥 써보자. 뭐가 달라도 다르지 않을까? 갑자기 광고 글이 생각난다. 자신감을 느끼고 용기를 갖고 여행하는 마음으로 편안하게 짬짬이 글쓰기를 해보자.

하루 1% 글쓰기

사람들은 글쓰기를 한다고 하면 많은 시간과 많은 양의 독서가 필요하다고 생각한다. 맞다. 많은 시간도 있고, 독서량도 많은 사람이라면 글을 쓰는 데 유리하다는 것은 맞는 말이다. 그런데 나는 그렇지 않은 사람도 글을 쓸 수가 있다고 말하고 싶다. 내가 그런 사람이기에 자신 있게 말할 수 있다. 하루 1%만 시간을 투자할 수만 있다면 당신도 작가가 될 수 있다. 어떤 사람보다도 바쁜 사람이 나이기 때문이다.

하루 1% 행동 심리학자 이민규 교수님의 <변화의 시작 하루 1%>에서도 보면 변화가 시작하는 것은 많은 시간을 투자해야 하는 것이 아니다. 하루 1%면 충분하다. 하루를 계산하면 24시간을 60분으로 곱하면 1,440분이 된다. 그

1%는 15분에 불과하다. 이 작은 시간이 변화의 시작이다.

하루 15분만 하던 일을 멈추고 생각할 시간을 가져 보라. 그리고 펜을 잡고 노트를 펼쳐 생각이 나는 것을 노트에 적어보자. 처음에는 말도 안 되는 것도 많을 것이다. 그것이 시작점이다. 시작점을 찍느냐, 그렇지 않으냐는 10년 후 미래가 달라진다. 지금 당장 할 수 있는 작은 일을 찾아 즐거운 마음으로 실천해 보라. 하루 1%만 잡아주면 나머지 99%는 저절로 달라진다. 그렇게 꾸준하게 한 당신의 미래는 다른 세상이 열린다.

내가 하루 1%로 시작해 3년째 되는 지금은 내가 꿈꾸지도 않았던 작가의 길을 걷고 있다. "누군가 해냈다면 나도 할 수 있다!" "당신도 할 수 있다." 자신을 믿고 지금 당장 실천해 보라. 어제와 다른 내가 그곳에 있을 것이다.

하루 1% 글쓰기는 많은 시간을 투자하라는 것이 아니다. 하루 1%의 꾸준함을 강조하고 있다. 하루 1%도 자기 자신에게 투자하지 않는 사람이라면 말할 필요도 없다. 딱! 하루에 15분만 글쓰기에 투자하라. 15분을 세팅해 놓고 그 어떤 글도 좋으니 그냥 펜이 가는 대로 적어보자. 그리고 15분

알람이 울리면 그대로 마침표를 찍는다. 미완성이라도 좋다. 우리의 인생은 어차피 미완성이다. "인생은 미완성"이라는 노래도 있지 않은가. 인생은 쓰다가 마는 편지라고, 우리도 쓰다가 마는 글쓰기인 것이다. 무조건 15분이 되면 미완성으로 마무리한다. 그렇게 계속 하루, 한 달, 두 달, 반년이 지나다 보면 나도 모르게 성장한 나 자신을 발견하게 될 것이다. 내가 이렇게 하루 1%의 습관으로 성장한 사람이기에 이 책을 읽는 여러분들이라면 나보다 더 많은 성장을 할 수 있다고 본다.

하루 1% 15분도 시간을 못 낸다면 그 사람은 부정적인 생각을 하고 있어 전혀 시도조차 하지 않는 사람이다. 이런 명언이 있다. "부정적인 사람은 한 게 없고, 긍정적인 사람은 한계가 없다." 내가 할 수 있다고 생각하면 못 할 것이 없지만 할 수 없다고 하면 아무 일도 일어나지 않는다. 하루 15분 투자도 못 하는 사람이라면 내가 지금까지 했던 것처럼 과거의 나처럼 그렇게 살아갈 수밖에 없다. 하지만 어제와 다른 나, 어제와 좀 더 성장한 나를 원한다면 15분이라는 시간을 투자해야 한다. 지금 바로!

긍정적인 생각으로 하루 15분 1%만 투자해 도전해 보자.

아니 실험해 보자. 15분이라면 도전해 볼 만하지 않은가?, 실패한다 해도 억울하지 않을 것이다. 하루 1% 15분은 24시간 중에 그냥 흘려보내는 시간에 속한다. 나 자신을 잘 살펴보자. 24시간 중 15분이라는 시간을 얼마나 많이 그냥 버리고 있는지를 딱, 하루만 기록해 보라. 출·퇴근 시간에도 15분은 그냥 버려지고 있고, 유튜브를 보는 데는 몇 시간씩을 보낼 것이다. 텔레비전을 보는 데도 몇 시간을 보낼 것이다. 약속 시간에 일찍 와서 기다리는 동안에도 15분이라는 시간을 그냥 버린다. 점심 먹고 커피 마시는 시간에도 15분이라는 시간은 계속 버려지고 있다. 하루 24시간 중에 버려지고 있는 시간을 나만의 글을 쓰는 시간으로 만들어 보면 어떨까?

만약 당신이 15분을 글을 쓰는데 투자했다면 변화는 시작되었다. 기적이 시작된 것이다. 기회가 찾아와 문을 두드릴 것이다. 기회는 준비된 자에게 온다고 하지 않는가, 준비를 시작한 당신을 응원한다.

하루 1% 15분이 쌓이고 쌓이면 1만 시간의 법칙처럼 큰 에너지로 변화될 것이다. 나도 내가 성장하기까지는 이민규 교수님의 <변화의 시작 하루 1%>를 읽고 실천하면서부터 내 삶이 변화하기 시작했다. 배추가 김치로 성장하기까지는 여러 가지 아픔과 고통을 이겨낼 때 배추가 김치라는 다른 가치로 성장하는 것이다. 그냥 배추로 있을 것인가? 소금에 절여지고 칼로 베어지고, 양념에 또 한 번 죽는 고통을 통해 성숙하고 숙성되어 김치라는 완전히 다른 가치로 탄생될 것인가? 는 자기 자신에게 달려있다. 자신만이 선택할 수 있는 것이다. 우리 인생은 선택의 연속이다. 잘 선택해야 한다.

짬짬이 글쓰기는 하루 1% 15분을 투자해서 배추가 김치라는 다른 가치로 변화하듯이 당신도 새로운 사람으로 규정하고, 완전히 다른 가치가 있는 작가로 성장하길 바란다.

하루 1%는 아침 시간이든 점심시간이든 저녁 시간이든 내가 만들 수 있는 시간을 만들면 된다. 꼭 고정하지 않아도 된다. 자유롭게 하루 15분이라는 시간만 글을 쓰는 시간으로 하면 된다. 아침 시간을 정했지만, 아침에 바쁜 일이 생겨 못 했다면, 점심시간을 이용해서 해도 되고, 점심시간에도 일이 생겨 못했다면, 저녁 시간에 해도 된다. 식사하고 나서 해도 되고, 잠들기 15분에 해도 된다. 하루 24시간 중 어떤 시간이든 자투리 시간을 찾아서 글쓰기에 투자하자. 그렇게 한다면 당신은 배추가 김치가 되듯이 일반 사람이 작가라는 타이틀로 멋진 브랜드를 가질 수 있게 될 것이다. 요즘은 "전자책이 명함이다"라고 하지 않는가! 그렇게 된다면 강사로 전국을 강연하러 다닐 것이다. 큰 꿈을 갖길 바란다. 당신의 도전을 응원한다.

짬짬이 글쓰기 좋은 점 3가지

첫째. 짬짬이 글쓰기는 우리의 내면을 표현하고 정리하는 좋은 방법이다. 매일 3줄 쓰기를 통해 우리는 내적 성장과 자기 이해를 촉진할 수 있다. 글쓰기를 통해 우리의 생각과 감정을 표현하고 정리함으로써 더 나은 자아를 발견하고, 더 나은 방향으로 나아갈 수 있다.

둘째. 짬짬이 글쓰기는 창의성을 향상하는 데에도 도움이 된다. 글을 쓰는 과정에서 우리는 다양한 아이디어를 생각하고 단어로 표현하게 된다. 이러한 노력은 우리의 창의적 사고를 활성화하고, 새로운 관점과 해결책을 발견하는 데 도움을 줄 수 있다.

셋째. 매일 3줄 쓰기는 감정 조절에도 도움이 된다. 글을 통해 우리는 내면의 감정을 자유롭게 표현할 수 있고, 긍정적인 감정을 강화하고 부정적인 감정을 해소하는 데 도움을 줄 수 있다. 글쓰기를 통해 우리의 감정을 정확히 파악하고 조절함으로써 더 행복하고 안정된 삶을 살아갈 수 있다.

매일 하루 1% 글쓰기는 우리의 자아 발견, 창의성 향상, 감정 조절 등 다양한 면에서 도움이 되는 활동이다. 꾸준히 이를 실천하면서 자신의 글쓰기 실력과 성장을 지켜보자. 당신은 잘할 수 있다. 내가 했기에.

아픈 만큼 성장하는 책쓰기

작가 최선경

　호기심 많고 정 많은 영어 교사이자 교사성장학교인 '고
래학교' 교장이다. 학생과 교사 모두가 행복해지도록 돕는
체인지메이커로서 배우고 익힌 것을 확 퍼뜨리기가 전공이
다. '교육의 전문가는 교사다'라는 기치 아래 실천교육교사
모임 회원으로 활동하고 있기도 하다.

　『긍정의 힘으로 교직을 디자인하라』, 『가슴에 품은 여행』,
『중등학급경영_행복한 교사가 행복한 교실을 만든다』, 『작지만 확실한 습관 만드는 방법 10가지』를 출간했고, 공저로 『체인지메이커 교육』, 『변화의 시작, 이기적으로 나를 만나는 시간』, 『가끔은 나빴고 거의가 좋았다』, 『디지털 노마드 세대를 위한 미래교육 미래학교』, 『100일간의 두드림, 배움이 이끄는 삶』, 『독서법으로 삶을 리드하라』를 출간했다. 또한 『프로젝트 수업 어떻게 할 것인가』, 『선생님의 영혼을 위한 닭고기 수프』, 『디퍼러닝』, 『교실에서 바로 쓸 수 있는 낯선 행동 솔루션 50』을 공역, 출간했다. <프로젝트 수업 어디까지 해봤니>, <체인지메이커로 우리 교실을 체인지한다>, <교사 공감 행복한 교사가 되는 15가지 습관>, <미래교육의 혁신, 디퍼러닝> 원격연수 강사로도 활동하고 있다.

- 저자와의 소통은 블로그나 이메일을 이용해 주세요.
- 이메일 : littlejazz@hanmail.net
- 블로그 : 선경쌤의 선경지명 (blog.naver.com/dntjraka75)
- 유튜브 :
  선경쌤의 선경지명(www.youtube.com/@user-wo5pj6jn5h)
- 고래학교 카페 : www.cafe.naver.com/goraeschool
- 실천교육교사모임 홈페이지 : www.koreateachers.org/

작가의 꿈 언제부터였을까?

"저한테 번역 제의가 들어왔는데 저는 번역을 하지 않습
니다. 번역하실 분 댓글 달아주세요!"

<프로젝트 수업 어떻게 할 것인가?> 번역할 때의 일이
다. 대학 시절부터 번역을 해보고 싶다는 생각은 막연히 하
고 있었지만 어떻게 시작해야 할지는 몰랐다. 페이스북을 그
리 자주 하는 편은 아니지만 어쩌다 들어가 게시물을 보다
보면 유독 눈에 들어오는 글이 있다. 그날도 그런 날이었다.
우연히 권○○ 선생님의 글이 눈에 확 들어왔다. '번역하실
분 댓글 달아달라'고 해서 냉큼 댓글을 달았다. 어디서 그런
용기가 생겼는지 모르겠다. 개인 메시지를 몇 번 주고받은
후 권○○ 선생님이 출판사 담당자와 나를 연결해 주었다.
이후 당시 영어과 스터디 모임 멤버 2명과 함께 번역하고

출간까지 하게 되었다. 추측건대, 이제까지 필자가 낸 책 중에 가장 반응이 좋았던 책이 아닌가 싶다. '프로젝트 수업' 관련해서는 베스트셀러가 되었다. 첫 번역서가 반응이 좋아서인지 같은 출판사에서 제의가 먼저 들어와 <선생님의 영혼을 위한 닭고기 수프>를 번역하기도 했다. 책을 읽다가 감동을 하여 눈물을 흘렸다는 동료 교사가 떠오른다. 번역은 매절 단위로 번역비가 지급되어 판매 부수와 작가의 수익과는 관련이 없지만, 필자가 번역한 책이 누군가에게 읽히고 감동을 주고 도움이 된다고 생각하면 그저 뿌듯하다.

그런 뿌듯함과는 별개로 나의 글쓰기 실력이 형편없다는 사실을 번역하면서 깨닫게 되었다. 번역할 때 영어 실력도 물론 중요하지만, 우리말을 이해되게 제대로 표현하는 것이 더 어렵다는 사실을 깨닫게 된 것이다. 번역서가 출간되고 난 후 각종 글쓰기 수업을 찾아다녔다. 대구에서 진행하는 글쓰기 수업은 거의 없었다. 수소문 끝에 대구에서 활동하는 작가 두 분을 알게 되었다. 이은대 작가님과 윤슬 작가님, 두 분의 책쓰기 수업을 듣고 공저도 출간하고 단독 저서도 출간했다. 번역서를 출간하고 단독 저서를 내고 나서야 그보다 훨씬 더 오래전에 김성효 선생님이 쓴 책을 읽고 남긴 서평에서 '언젠가 나도 작가가 되고 싶다.'고 쓴 구절을 발견했다. '아, 내가 예전부터 작가가 되고 싶은 마음이 있었구나.' 싶었다.

나는 왜 작가가 되고 싶었을까? 왜 작가로 살아가고 싶을까?

첫째, 인간이라면 누구나 자신을 표현하고 싶은 욕구, 영향력을 가지고 싶은 욕구가 있다고 생각한다. 글쓰기는 나의 존재감을 드러내는 가장 강력한 수단이라고 생각한다. '투명인간으로 살고 싶지 않다.'라는 강원국 작가님의 외침에 반해 글쓰기에 본격적으로 빠지게 된 것인지도 모르겠다.

둘째, 내가 쓴 글의 첫 번째 독자는 미래의 나이다. 글쓰기는 나의 역사를 써 내려가는 일이다. 내 삶에 의미를 부여하는 일이다. 나의 역사를 써 내려감과 동시에 내가 쓴 글로 주변에 긍정적인 영향을 끼칠 수 있다는 점이 좋다.

셋째, 내가 글쓰기를 좋아하는 또 다른 이유는 다듬으면 다듬을수록 문장이 좋아지는 과정 때문이다. 혹자는 글쓰기가 결과라고 생각할지 모르겠지만 필자의 경우 글쓰기는 과정이라고 생각한다. 같은 문장을 고치고 또 고치는 과정 그 노력이 쌓여야 한 편의 글이 완성되고 글이 쌓이고 쌓여 한 권의 책이 완성되는 것이다. 필자는 노력의 흔적들을 좋아한다.

넷째, 생각을 정리할 수 있고 삶의 방향을 점검할 수 있다. 글을 쓰면서 생각 정리가 될뿐만 아니라 글을 잘 쓰기 위해서 필수 불가결한 책을 읽다 보면 생각이 더 깊고 넓어지게 된다. 글을 쓰고 책을 쓰다 보면 내가 원하는 것이 무엇인지 캐묻게 되고 자신이 원하는 방향대로 살게 될 확률이 높다고 생각한다.

다섯째, 책쓰기는 노후대책이다. 책을 출간해서 인세를 받아 경제적 보탬이 된다는 의미도 있지만, 퇴직 후 소일거리로 글쓰기만큼 좋은 것이 없다고 생각한다. 아프지 않고 몸 건강하게 사는 만큼 마음 건강하게 살아가는 것이 중요할 텐데 글쓰기만큼 정신건강에 좋은 활동이 없다고 생각한다.

처음 책 비슷한 걸 출간한 것은 훨씬 이전으로 거슬러 올라간다. 결혼 4년 만에 어렵게 아이를 가지고 2008년부터 2년간 육아휴직을 했다. 아이러니하게도 육아휴직을 하면서 내가 살림에는 별로 소질이 없다는 것과 집에 있는 것을 못 견딘다는 사실을 알게 되었다. 엄마로서 아이를 돌보면서 아이가 자라는 것을 지켜보는 것이 물론 행복했다. 하지만 집에 있는 시간이 무료하게 느껴진 것도 사실이었다. 시간이 그냥 흘러가 버리는 것 같아 허무했다. 그러던 중 우연히 인터넷에서 육아일기를 책으로 만들어 주는 사이트를 발견했다. 2년간의 공백으로 업무에서 뒤처진다는 느낌, 육아의 어려움 등을 육아일기를 쓰며 어느 정도 극복했다고 해도 과언이 아닐 것이다. 감정의 요동침을 일기에 쏟아냈다. 100일간 매일 출석하여 글을 남기면 무료로 책을 만들어주는 이벤트가 진행 중이었다. 300일 이상을 매일 썼다. 꾸준하게 출석해서 글을 올리다 보니 무료 출간의 기회를 얻었다. 온라인에 올린 글 중에 책에 실을 내용을 고르고, 사진을 선택하여 돌잔치 기념으로 육아일기를 책으로 제작했다.

첫 육아일기 책 이야기를 하다 보니 돌잔치를 준비하던 기억도 떠오른다. 흔히 웨딩숍에서 하는 돌잔치가 싫어서 아이의 첫 생일을 내 손으로 이것저것 준비했다. 조촐하게 가족들만 초대해 전통 돌상으로 꾸몄다. 돌잔치 기념 성장앨범도 따로 만들지 않았다. 필자가 직접 제작한 육아일기 책이 있었기 때문이다. '이왕 할 거 좀 더 많은 분을 모시고 화려하게 할걸. 남들 하는 거 나도 다 해볼걸.' 잠시 그런 생각이 들기도 했지만, 필자의 손으로 직접 준비한 돌상이라 더 보람 있고 의미 있었던 것 같다. 매사에 초심을 잃지 않는 것이 중요하다고 말하는데, 첫돌을 준비하며 완성한 육아일기를 읽다 보면 아이의 소중함을 다시 한번 느끼게 된다.

육아휴직 둘째 해에 두 번째 육아일기 책을 만들었다. 복직 후에는 아이 사진을 중심으로 세 번째 육아일기 책을 펴냈다. 육아일기 책을 손에 넣고 보니 육아휴직으로 보낸 시간이 눈에 보이는 듯했다. 순간순간이 한 권의 책으로 모인 것을 눈으로 확인하니 모든 순간이 의미 있게 느껴졌다. 스스로가 자랑스러웠다. 최소한 1년에 한 권은 아이의 성장 과정이 담긴 책을 만들겠다고 다짐했었다. 그러나 복직 후 학교생활을 병행하면서 실천하기가 쉽지 않았다. 앞서 출간한 책도 주로 책장에 꽂혀 있기만 했다. 그러던 어느 날 아이가 대여섯 살 무렵 한글을 떼고 글을 무리 없이 읽게 된 아이가 책꽂이에 꽂혀 있던 육아일기 책을 발견했다. 머리를 박고 열심히 읽는가 싶더니,

"엄마가 나 아플 때 이렇게 돌봐줬구나~"
"엄마가 나한테 마사지도 해줬어?"
"엄마가 '사과가 쿵' 동화책 계속 읽어줘서 내가 그 책 좋아하게 됐구나~"
기록해 두지 않았다면 몰랐을 유년 시절의 추억을 아이에게 선물해 줄 수 있어 얼마나 기쁜지 모르겠다. 육아일기 책을 보면서 온전히 엄마가 자신과 함께 보낸 시간이 있었다는 것을 눈으로 확인하고 엄마의 사랑을 느낄 수 있으니,

아이에게 이보다 더 큰 선물이 있을까? 일상 기록의 중요성을 깨닫게 되는 지점이기도 하다.

이렇게 알게 모르게 나는 언제부턴가 작가의 꿈을 가슴속에 품고 있었다. 또 생각에 머물지 않고 소소하게나마 글쓰기와 책쓰기를 실천하고 있었다. 누구에게나 시작은 있다. 생각이 그저 생각에만 머무른다면 성장을 기대하기 힘들 것이다. 마음속에 품고 있는 꿈이 있다면 일단 기록을 시작해 보자. 주변을 살펴보면 내가 잡을 수 있는 기회가 의외로 많다는 것을 기억하자. '제가 번역해 보고 싶어요.' 이 댓글 하나로 필자가 번역서를 출간하게 된 것처럼 말이다. 출판사 대표에게 '얼굴 한 번 본 적 없는 저를 뭘 믿고 번역을 맡기셨어요?'라고 질문했더니 '메일 주고받으면서 선생님의 열정이 느껴졌어요. 번역을 꼭 하고 싶다는 의지도 느껴졌고요.'라고 했다. 오랫동안 품고 있는 꿈은 흘러넘쳐 보는 이들에게도 전해지나 보다. '간절히 바라면 이루어진다. 준비된 자에게 기회가 온다.' 책을 쓰면서 필자가 깨닫게 된 것들이다.

많은 선생님이 글쓰기, 책쓰기에 도전했으면 좋겠다. 자신의 전공 분야와 상관없는 글쓰기에 도전해 보고 여러 커뮤니티를 통해 만난 약한 유대관계에서 기회를 잡아 자신의 성장을 도모하기를 바란다. '잡크래프팅'을 하면 좋겠다. '잡크래프팅(Job Crafting, 직무재창조)'이란 공식적인 역할과 업무 수행에만 머무르지 않고, 자발적으로 자신의 일을 바라보는 관점을 긍정적으로 바꾸고 업무 범위와 관계를 조정하여 스스로 동기를 유발시키려는 노력을 말한다. 교직에서 성공적인 '잡크래프팅'을 위해서는 ① 최대한 내 업무와 관련하여 난이도와 범위를 조정하고 선택권을 보장받고, ② 동료 교사와 학생들과의 긍정적인 관계 형성을 통해 교사로서의 자존감을 높이고, ③ 본인의 전공 분야와는 상관없는 분야에 도전해 자존감을 높이고, ④ 내가 잘할 수 있는 분야의 특기와 장점을 내 수업에 적용하여 자존감을 높이고, ⑤ 학교 밖에서 만난 약한 유대관계에서 오히려 영감을 얻고 내가 발전할 수 있는 새로운 기회를 마련하는 것이다. (출처: <긍정의 힘으로 교직을 디자인하라>)

3권의 육아책

'출산'의 고통과 맞먹는 '출간'의 고통,
안 아픈 출간 과정 없다.

<긍정의 힘으로 교직을 디자인하라>를 2019년 2월에 출간했다. 수업이나 학급경영 관련한 책은 굳이 투고하지 않아도 함께 작업한 출판사들 통해 꾸준히 낼 수도 있었으리라. 하지만 작가로서 인정받고 싶다는 생각이 강했다. 교사라는 타이틀을 떼고 필자가 쓴 글 자체로 인정받고 싶었다. 이은대 작가님의 책쓰기 수업을 듣고 그 과정에서 안내하는 대로 매일 한 꼭지씩 썼다. 한 꼭지 분량을 다 못 채우는 날도 많았지만, 목차대로 하루에 한두 줄이라도 썼다. 35일을 매일 쓰니 책을 구성할 만한 분량이 채워졌다. 글을 쓰기 시작하면서 새벽 기상을 시작했다. 새벽 시간이 아니고는 글 쓸 시간을 내기가 힘들었기 때문이다. 초고를 다듬어 출판사

에 투고 했다. 출판사 몇백 곳에 이메일을 보냈다. 과연 필자의 글을 읽고 출간하겠다는 곳이 있을까 반신반의했는데 새벽에 메일을 보내자마자 출판사 한 군데서 바로 전화가 왔다. 당장이라도 만나자는 연락을 받았을 때의 그 설렘이란! 세상을 다 가진 것 같았다. 출판사 몇 군데서 추가로 연락이 오자 과연 어느 출판사와 계약해야 할지 고민에 빠지기도 했다. 살면서 몇 손가락 안에 꼽히는 행복한 고민의 순간이었다. 출판사만 정해지면 모든 것이 다 끝날 줄 알았는데 막상 편집 과정을 겪어보니 초고는 진짜 초고일 뿐이라는 사실을 뼈저리게 깨달았다. 책쓰기 강사님들이 '초고는 다 쓰레기'라는 말을 왜 강조하는지 그때야 알게 되었다.

퇴고 과정이 만만치 않았다. 책을 처음부터 다시 쓰는 느낌이었다. 오타가 문제가 아니었다. '이 내용을 과연 책에 넣어도 될까?' '이 글을 읽었을 때 불편해할 사람은 없을까?'라는 생각이 들기 시작하자 모든 문장에 검열이 들어갔다. 실제로 순화시키거나 아예 드러낸 내용도 꽤 있다. 필자가 쓴 책의 첫 독자는 필자 자신이었고 그다음은 남편이었다. 남편에게 교정·교열을 부탁했다. 자의 반 타의 반 빨간 펜 선생님 역할을 하게 된 남편. 자기 일처럼 기꺼이 새벽까지 글을 봐주고 수정해 주어서 지금도 고맙게 생각한다.

출판사에서도 어느 정도 교정 의견을 주긴 하지만 퇴고의 몫은 오롯이 작가에게 있다. 그 모든 과정이 진짜 아이를 출산하는 과정만큼 힘들었다. 퇴고할 당시 집수리 때문에 시댁에 며칠 들어가 있었는데 그때가 한창 퇴고 작업해야 할 때였고 엎친 데 덮친 격으로 왼쪽 손가락도 다쳤을 때여서 더 힘들었던 것 같다.

우여곡절 끝에 책을 냈지만, 기대만큼 세상이 책에 주목하지 않는 것 같아서, 책 내용에 대해 비판받지는 않을까 하는 걱정으로 일종의 우울증을 겪기도 했다. 이전에 <프로젝트 수업 어떻게 할 것인가> 번역서 출간과 <체인지메이커 교육> 책을 공저한 적이 있었지만 단독 에세이는 이전 책과는 성격이 또 달랐다. 번역서야 어차피 개인적인 이야기가 아니었고 <체인지메이커 교육>도 이론 정리와 수업 사례를 엮은 것이니 개인사가 노출된 건 아니었다. 에세이는 달랐다. 어린 시절부터 23년 교직 생활이 실려 있었기에 발가벗는 듯한 느낌을 받기도 했다. '내 개인적인 이야기를 이렇게 다 해도 되나? 내 개인적인 이야기를 누가 궁금해하겠어?' 이런 생각이 들었다. 이후 <가슴에 품은 여행>, <중등 학급경영_행복한 교사가 행복한 교실을 만든다>, <어서 와! 중학교는 처음이지?> 등 여러 권의 책을 낼 때마다 비슷한 과정을 겪었다. 공저는 공저대로의 어려움이 단독 저서는 저서대로의 어려움이 있었다. 책 쓰는 작업이 반복된다고 해서 그 과정이 만만해지는 것은 절대 아니다. 책마다 공을 들이고 시간과 노력이 들어가는 것은 마찬가지다.

<긍정의 힘으로 교직을 디자인하라> 출간하고 나서 메일로 자신도 독일어 전공인데 영어를 가르치고 있다고, 자신은 그걸 숨기고 살았는데 필자가 책에서 불어 전공자인 것을 당당하게 밝힌 것을 보고 자신도 힘을 얻었다는 이야기를 읽고 필자가 더 힘을 얻었다. 필자의 이야기가 누군가에게 힘을 줄 수 있다는 점에서 책을 쓴 보람을 느꼈다. 책 내용에 공감하는 부분이 많다고 손 편지와 함께 커피를 학교로 보내주신 분도 있었다. 선물했더니 본인도 선생님처럼 도전하며 살겠다는 장문의 편지를 보내온 제자도 있었다.

솔직히 책 출간까지의 노력이 판매 부수로 연결되지 않아 실망하기도 했다. 출산의 고통에 비유할 만큼의 아픔을 겪고 나온 책이니 이왕이면 많은 분들에게 사랑을 받으면 좋겠다는 생각이 왜 안 들겠는가. <긍정의 힘으로 교직을 디자인하라> 책이 비록 1쇄도 다 팔리지 않았지만, 책을 처음 쓸 때의 마음처럼 누군가에게 가 닿아 도움을 줬으니 그것에 만족한다. 판매 부수와는 상관없이 단 한 명의 독자라도 내

책을 통해 감동받고 도움을 받았다면 그것으로 참 감사한 일이라는 생각을 한다. 앞으로 나오는 책들도 그렇게 누군가의 마음을 울렸으면 좋겠다. 그리고 자식 같은 책들이 이왕이면 많은 독자들에게 큰 사랑을 받게 되기를 바란다.

책쓰기, 이제는 말할 수 있다.

1. 일단 써라. 써야 할 때 쓰려고 하면 이미 늦다. 평소에 써라.

번역, 공저 포함하여 20여 권의 책을 출간하고 나니 노하우라는 것이 필자에게도 조금은 생겼다. <긍정의 힘으로 교직을 디자인하라> 책을 출간할 때부터도 그랬지만 평소에 쓴 글들이 책 출간에 큰 도움이 되었다. 블로그는 필자의 보물창고다. 기억 저장소다. 블로그에 필자의 일상이 기록되어 있다. 당시 느꼈던 감정, 책 읽고 와 닿는 문장 등등이 담겨있다. 주제와 목차를 잡고 글을 써나가다가 막힐 때마다 필자는 구글 검색을 하는 것이 아니라 필자의 블로그를 검색한다. 필자의 블로그에 가면 웬만한 자료가 다 있다. 각 꼭지 내용에 맞는 글감을 블로그에서 가져와 살을 붙인다. '써야 할 때 쓰려고 하면 이미 늦다!' 라는 강원국 작가님 특강에서도 강조하던 말씀이다. 강원국 작가님은 평소에 정해진 시간에 늘 글을 쓰신다고, 책을 쓰려고 할 때 글을 쓰면 늦는 거라고, 그때부터 쓰기 시작해서는 책을 완성할 수가 없다고 하셨다. 대부분의 전문 작가들은 하루에 몇 시간씩 또는 몇만 자씩 자신의 쓸 분량을 정해두고 매일 쓴다고 한다. '작가는 매일 쓰는 사람이다'라는 말은 여러 작가 사부님들에게 귀에 못이 박히도록 들은 말이다. 일기든 서평이든 후기든 틈날 때마다 아니 틈을 내서라도 매일 쓰는 것이 중요하다. 그것이 씨앗이 되어 한 편의 글이 되고 그 글들이 모여 한 권의 책이 된다.

2. 타겟층을 확실하게 하라.

책을 쓰는 목적은 타겟 독자에게 정보를 제공하거나, 재미를 주거나, 혹은 교훈을 주는 것이다. 공감이나 감동을 이끌어낼 수도 있다. 따라서 책을 쓰기 전에 타겟 독자를 고려하여 주제를 선택하는 것이 중요하다. 될 수 있으면 독자를 구체적으로 상정하는 것이 좋다. 친구에게 이야기하듯이 후배 교사에게 도움을 준다는 생각으로 구체적인 대상을 생각하고 글을 쓰도록 한다. 필자의 경우도 출간한 책 한 권한 권이 다 특별하기는 하지만 판매량이 많은 책을 꼽아보면 확실히 독자층이 확실하게 정해져 있는 책이 반응이 좋았다. 2022년 출간된 <중등 학급경영>, 2018년에 출간된 <체인지메이커 교육>은 꾸준히 사랑을 받고 있다. 에세이보다는 교육 도서가 더 반응이 좋은 편인데 그만큼 독자층이 확실해서 그런 것이 아닌가 싶다. 2017년에 나온 번역서 <프로젝트 수업 어떻게 할 것인가>의 판매량도 높은 편인데 프로젝트 수업에 대한 수요가 그만큼 높았기 때문일 것이다. 책을 낸다는 것은 혼자 쓰는 일기와는 다르다. 독자를 상정한 글쓰기이기에 저자가 쓰고 싶은 내용보다는 독자가 필요로 하는 내용을 담는 것이 중요하겠다.

3. 홍보도 책쓰기의 연장이다.

여러 권의 책을 내면서 집필 과정이나 책 출간 과정도 어렵지만 홍보가 어렵다는 현실을 깨닫게 되었다. 출판사에서 적극적으로 나서 주면 좋겠지만 요즘은 저자에게 홍보의 책임을 많이 지우는 편이다. 평소 SNS 활동을 얼마나 적극적으로 하고 있는지, 커뮤니티를 운영하고 있는지 등도 출판사가 저자와 계약할 때 염두에 둔다고 한다. 저자의 홍보력을 미리 확인하는 것이다. 필자는 직접 커뮤니티를 운영하기도 하고 여러 커뮤니티에 소속이 되어 있기는 하지만 '제 책

사주세요!' 대놓고 말하기가 쉽지는 않다. 책을 출간하면서 어떻게 홍보를 할지 마케팅 전략을 미리 세우는 것도 중요하다. 출판사에서 어느 정도 홍보를 적극적으로 해줄 수 있는지를 확인하고 책 계약을 하는 것도 좋겠다. 책을 출간할 계획이 있다면 책이 출간되고 나서 움직이면 이미 늦다. 블로그, 인스타, 유튜브 등의 채널 이웃 수를 늘리고 평소 글을 꾸준히 노출시키는 것이 좋다. 책 홍보를 떠나서 자신의 일상을 기록으로 남긴다는 의미 또한 무시할 수 없다. 책 출간 과정을 공유하고 책 표지 투표, 기대평 작성 등 책 출간 관련 이벤트를 해보는 것도 좋다. 책 출간 후에는 관련 내용으로 무료 특강을 여는 것도 좋다. 출간기념회를 한다면 더없이 좋겠다.

책을 홍보할 수 있는 방법들

1) SNS 홍보하기

2) 서평 이벤트

3) 매거진, 온라인 기사, 신문 기사 등의 매체 홍보

4) 라디오(팟캐스트) 홍보

5) 독서모임을 통한 홍보

6) 강의를 통한 홍보

7) 추천 도서, 필독서 선정

8) 온라인 DM 발송: 메시지나 이메일 보내기

9) 방송 연계

4. 들이대 정신으로 권위 있는 분들에게 추천사를 받아보자.

책을 쓰는 과정에서 관련 분야의 권위 있는 분에게 추천사를 부탁하는 것도 홍보에 좋은 방법이다. 바쁘신 분이 추천사를 써줄까 고민만 하지 말고 들이대 정신으로 도전하길 바란다. 필자는 <중등 학급경영_행복한 교사가 행복한 교실을 만든다> 책에 초등 학급경영의 대가 두 분, 중등 학급경영의 대가 한 분, 심리학 교수인 이민규 교수님에게 추천사를 부탁드렸다. 모두 흔쾌히 추천사를 써주었다. <가슴에 품은 여행>에는 필자의 글쓰기 스승이신 이은대, 윤슬 작가님과 평소 존경하는 김민식 피디님 추천사를 실었다. 책이 많이 팔리고 아니고를 떠나 평소 존경하던 롤 모델, 멘토들에게 글을 인정받고 추천사를 받는 그 자체가 큰 의미가 있었다. 김민식 피디님은 추천사뿐만 아니라 추천사 수락받는 과정도 기억에 남는다. 책 출간 후 필자가 올린 유튜브 영상에 댓글까지 남겨주셔서 신이 났던 기억이 아직도 난다.

　<가슴에 품은 여행> 책에 실린 김민식 피디의 추천사
　내 뜻대로 되는 일이 하나도 없어 괴로울 때, 나는 훌쩍

여행을 떠난다. 여행을 가면 내 뜻대로 할 수 있는 게 늘어난다. 여행은 가고 싶은 곳에 가서, 보고 싶은 것을 보고, 먹고 싶은 것을 먹는 일이니까. 자율성을 극대화함으로써 상처받은 자존감을 치유하고 도전정신을 키워주는 여행. 그 좋은 여행을 코로나 때문에 못 간다. 코로나로 일이 뜻대로 되지 않아 힘든데, 여행도 갈 수 없어 더 힘들다면 어떻게 해야 할까? 이 책의 저자는 자신만의 답을 찾았다. 아파트 옥상에 돗자리를 깔고 아이와 라면을 나눠 먹으며 소풍을 즐기고, 베란다에 캠핑 의자를 내어놓고 거실에 카페를 차린다. 새로운 여행을 떠나기 힘들 때는 지난 여행의 추억을 되새겨보는 것도 일상을 버티는 힘이 된다. 타인의 여행기를 읽으며, 언젠가 떠날 나의 여정을 꿈꿔본다. 책 속에서 고난과 시련을 극복하는 지혜를 찾을 수 있기를 소망한다.

<김민식 피디의 추천사 수락 이메일 답장>

원고 잘 읽었습니다.
갑자기 여행이 사무치게 그리워지네요.
작가님의 책을 보니 코로나가 끝나면
조드푸르도 가고 싶고, 중국 사막 투어도 가고 싶고, 막
그러네요.

'요즘 나는 '자발적 고독'이라는 말에 빠져있다. 스스로 고독을 선택한다는 뜻이다. 혼자라서 외로운 것이 아니라 혼자 있는 시간을 오히려 즐긴다는 말이다. 예전에는 혼자서 밥 먹고, 차 마시고, 혼자서 영화 보는 것을 견디지 못했다. 혼자 있으면 괜히 친구 없는 사람 같고 서글펐다. 요즘은 오히려 혼자 있는 시간을 최대한 많이 확보하려고 한다. 새벽 기상을 고집하는 것도 그 이유에서이다. 혼자서 커피를 내려 마시고, 혼자서 음악을 듣고, 혼자서 책을 읽고, 혼자서 글을 쓰는 시간이 참 좋다. 이 책은 그런 오롯이 혼자인 시간을 통해 완성되었다. 책을 읽는다는 것은 글을 쓴다는 것은 혼자만의 시간을 견디는 것이다. 혼자만의 시간을 즐기는 것이다.'

이 글이 확 와닿습니다.
제가 요즘 보내는 칩거의 시간이 그렇거든요.
이 멋진 책에 제 부족한 글이나마 추천사로 보탤 수 있다니 영광입니다.

　　　<책 소개 유튜브 영상에 달린 김민식 피디의 댓글>

　　저자님, 베스트셀러 등극을 감축드리옵니다~^^

책이 좋아 더 많은 사람들에게 사랑받을 거예요.

이번에는 산후우울증(?)^^ 없이 출간의 기쁨을 오롯이 누리시길 소망합니다.

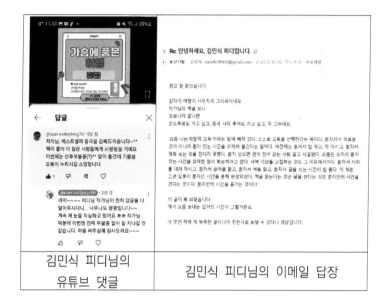

김민식 피디님의 유튜브 댓글	김민식 피디님의 이메일 답장